RESORTS MAGAZINE
HOSPITALITY AWARDS
2011

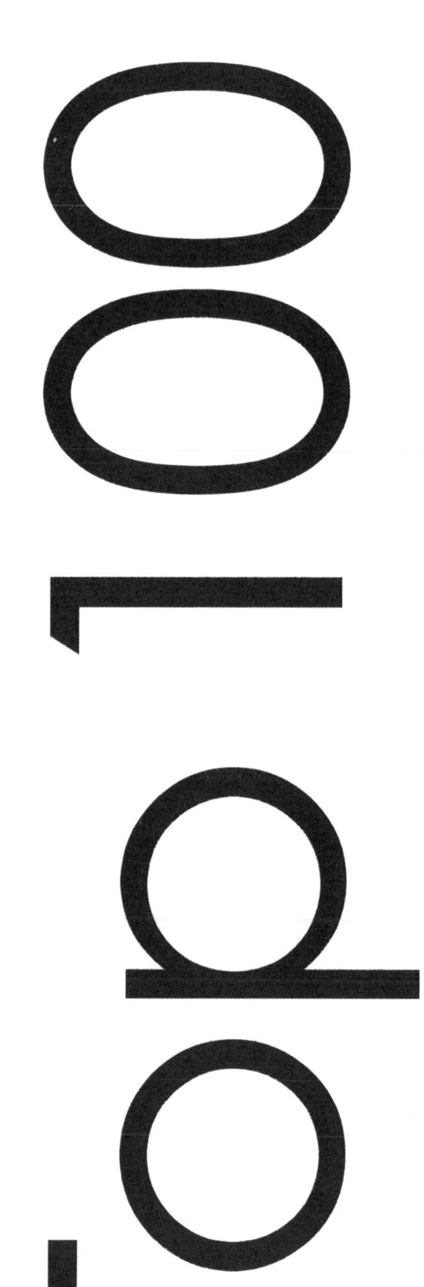

i cento resort più belli del mondo

2011

In copertina
One&Only Maldives at Reethi Rah
Top Resort Worldwide 2011

a cura di
Ovidio Guaita

in redazione
Lawrence Taylor
Paolo Gerbaldo

progetto grafico
Giulia Castagnoli
Antonio Fugazzotto

è una collana pubblicata da

PalidanoPress
1A Pope Street
London SE1 3PR

1120 Broadway, Suite 610
New York, NY 10010

www.palidano.com

ISBN 978-1-908310-00-2

A piedi nudi sulla sabbia (magari anche in bicicletta). Per disconnetterci e resettare il nostro sistema nervoso. Per ritornare rilassati e di nuovo in forma. Ci vorrebbe ben altro, ma una vacanza aiuta sempre. Basta non venga rovinata o intristita da mediocri cinque stelle che di esclusivo hanno solo il prezzo. Cinque stelle sarà lei! a volte verrebbe da dire. Ecco quindi la ragione di questa guida.

Cento resorts imperdibili, per una esperienza indimenticabile. Location giusta, spazi di design, spa d'atmosfera, cucina all'altezza, servizio discreto. E tanta attenzione alla salute. Li abbiamo visitati tutti i resort che vi suggeriamo. Io, assieme a una decina di validi collaboratori, appositamente istruiti e seguendo criteri standardizzati. Molte strutture non hanno superato la prova. Altre sono nel limbo delle nomination.

Solo il meglio quindi. Senza sorprese né compromessi.

Ovidio Guaita
Direttore di Resorts Magazine

Questa directory nasce dall'esperienza degli inviati di Resorts Magazine.
Noi di Resorts Magazine itineriamo tra i luoghi più ameni del pianeta alla ricerca del meglio.
Dei migliori resort, city hotel, alberghi coloniali. Senza trascurare i lodge e i campi tendati.

Ci siamo impegnati a ridefinire il concetto di lusso.
Perchè sete, cristalli, Rolls-Royce e Champagne non fanno da soli un top resort.
Ormai natura, design, servizio, benessere e cucina sono valori imprescindibili.
E' così che rinasce l'eccellenza nell'ospitalità.

Noi di Resorts Magazine l'eccellenza ve la serviamo in 140 pagine da sogno.
In quattro numeri all'anno. Per non sbagliare mai un soggiorno.

RESORTS
MAGAZINE

NEW GETAWAYS SPACES ATTITUDES

Emirates Palace, Abu Dhabi

Sommario

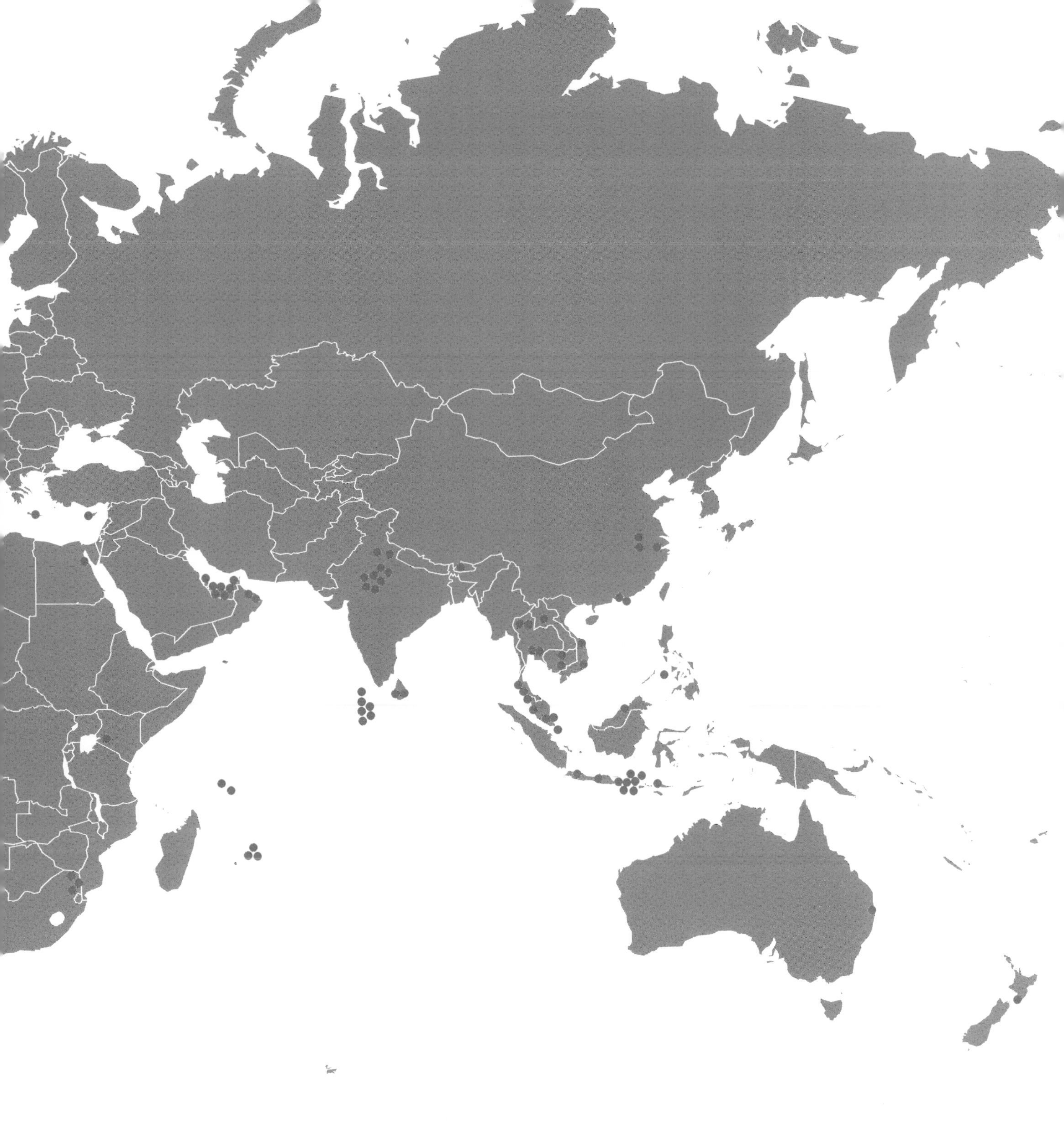

Top 10 resorts

2011

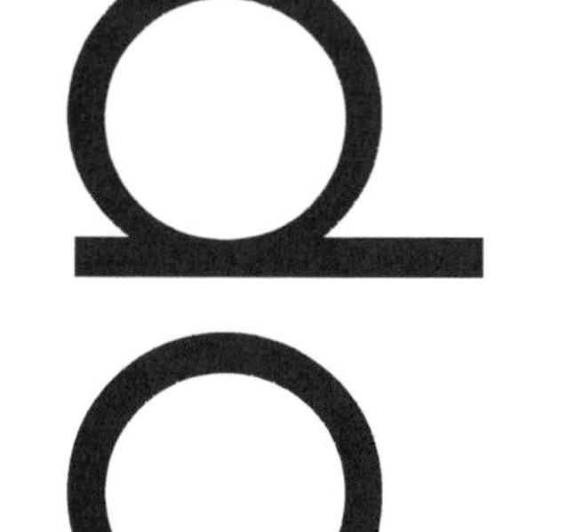

One&Only Maldives at Reethi Rah

Top Resort Worldwide 2011

2	Four Seasons Resort Maldives at Landaa Giraavaru
3	Four Seasons Resort Langkawi (Malaysia)
4	The Estates at Pangkor Laut Resort (Malaysia)
5	Burj Al Arab (Dubai, UAE)
6	Taj Umaid Bhawan Palace (Jodhpur, India)
7	Four Seasons Resort Bali at Jimbaran Bay (Indonesia)
8	Shangri-la's Villingili Resort and Spa, Maldives
9	Emirates Palace (Abu Dhabi, UAE)
10	The Peninsula Hong Kong

2
3
4
5
6
7
8
9
10
ROLLS

2011

Top 100 resorts

America

The Phoenician, Scottsdale

Four Seasons Hotel Palm Beach

environment	design	service	cuisine
70	80	82	78
health	spa	rooms	rating
75	82	80	**78**

America

Beverly Wilshire in Beverly Hills

Nel cuore di Beverly Hills, a due passi da Rodeo Drive, questo storico hotel rinasce dopo un attento restauro. Con la gestione della Four Seasons che assicura un impeccabile servizio questo hotel è tornato ad essere una importante scenografia per i riti sociali della Los Angeles che conta, un luogo privilegiato dove vedere e farsi vedere.

La spa è disposta lungo una lunga parete a onda. Musiche e aromi accolgono l'ospite. I prodotti naturali sono della Christopher Drummond Beauty.

www.fourseasons.com/beverlywilshire

environment	design	service	cuisine
90	75	72	75
health	**spa**	**rooms**	**rating**
88	78	74	**79**

America

Blancaneaux (San Ignacio)

E' il primo eco resort del Belize. Il proprietario Francis Ford Coppola ha scelto questo luogo dopo aver girato Apocalypse Now. Il set era nelle Filippine, la stessa giungla tropicale l'ha ritrovata nelle più accessibili Maya Mountains. Prima è sorta una dimora privata e poi il resort. Un lusso casual in un ambiente di rara bellezza.

La Riverside Spa è semplice e immersa nella natura. Offre massaggi tailandesi.

www.coppolaresorts.com/blancaneaux

Brasile

environment	design	service	cuisine
53	90	74	95
health	spa	rooms	rating
59	78	83	**76**

America

Copacabana Palace (Rio de Janeiro)

Nel cuore palpitante di Rio de Janeiro il Copacabana Palace coniuga il fascino di un'epoca indimenticabile con una location inimitabile. La bellezza solare della maestosa facciata rimanda infatti subito alle magie della Belle Epoque e all'età d'oro dei Palace. Tutto un fascino che rivive nella pagine di grande storia dell'ospitalità scritte, sotto il sole dei tropici, da un Palace inaugurato nel 1923. Un hotel pensato per stupire che venne modellato dall'architetto francese José Gire guardando al Negresco e al Carlton.

Per prolungare la magia la Copacabana Spa propone momenti invitanti e trattamenti selezionati.

www.orient-express.com

Caraibi

K Club, Barbuda

Sandy Lane, Barbados

Bahamas

environment	design	service	cuisine
83	80	76	80
health	**spa**	**rooms**	**rating**
80	80	81	**80**

Caraibi

One&Only Ocean Club (Paradise Island)

In origine villa privata, il suo proprietario volle fosse affiancata da un giardino che ricordasse la grandeur di Versailles. In cima, al termine delle gradonate che lo caratterizzano, gli archi di un chiostro del XII secolo. Il resort, la cui main house è in stile neoclassico, domina dall'alto una magnifica spiaggia. Ottima la cucina del Dune, governato dallo chef Jean-George Vongerichten.

La Spa comprende otto ville per trattamenti in stile balinese. Queste sono immerse nel giardino e nel complesso si trova anche la palestra e una terrazza dove si tengono lezioni di yoga.

www.oneandonlyresorts.com

environment	design	service	cuisine
88	80	81	85
health	spa	rooms	rating
90	90	80	**85**

Caraibi

Parrot Cay (Turks and Caicos Islands)

Su un'isola privata, con di fronte una spiaggia dorata di oltre un chilometro, il Parrot Cay non si dimentica facilmente. Lo stile è minimalista, nelle ville si usa molto il legno e il colore bianco. L'arredo è essenziale. Interessante la Como Shambhala Cuisine, a base di ingredienti organici, spesso utilizzati crudi. Una cucina buona e salutare allo stesso tempo.

I resort della Como sono intesi come santuari dove rigenerare corpo e mente. La spa quindi offre trattamenti olistici e ayurvedici che possono essere alternati a lezioni di yoga, spesso tenute da insegnanti di fama internazionale.

www.como.bz

British West Indies

environment	design	service	cuisine
85	87	78	81
health	**spa**	**rooms**	**rating**
85	40	88	**78**

Caraibi

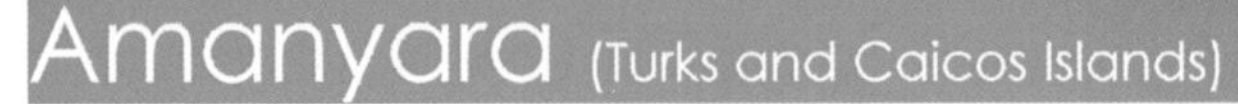

Amanyara sorge lungo una spiaggia di 800 metri di sabbia bianca adiacente al Northwest Point Marine National Park, che offre immersioni indimenticabili citate anche da Jacques Cousteau. Si compone di quaranta padiglioni in legno dal design contemporaneo e minimalista. L'impressione è di una architettura molto eterea che lascia spazio alla natura.

Dispone di una palestra e di un campo da tennis. Vengono offerti trattamenti in camera.

www.amanresorts.com

environment	design	service	cuisine
83	80	75	80
health	**spa**	**rooms**	**rating**
83	81	73	**79**

Four Seasons Resort Nevis

Grande resort sulla spiaggia (196 tra stanze e suites) ma anche grande complesso residenziale ai bordi del campo da golf sul pendio della collina retrostante. Semidistrutto da un uragano è stato praticamente ricostruito alcuni anni fa e le estate sul golf sono sicuramente di dimensioni generose anche se lo stile e l'arredo non sono all'altezza di altre strutture della catena.

La spa offre una discreta varietà di trattamenti in un ambiente gradevole. Anche in un padiglione sulla spiaggia. Inoltre c'è la palestra, alcuni campi da tennis e ovviamente la possibilità di giocare a golf.

www.fourseasons.com/nevis

environment	design	service	cuisine
95	80	65	70
health	**spa**	**rooms**	**rating**
70	0	88	**67**

Caraibi

K Club (Barbuda)

Etereo resort nella brulla Barbuda è opera del noto architetto italiano Gianni Gamondi, autore di vari alberghi e ville in Sardegna e nei Carabi. Le tenui cromie, il minimalismo e le citazioni dello stile coloniale locale ne fanno un luogo estremamente gradevole. Ampie le ville e soprattutto indimenticabile la spiaggia, una delle più belle dei Carabi.

Non dispone di spa.

www.kclubbarbuda.com

environment	design	service	cuisine
80	75	80	80
health	**spa**	**rooms**	**rating**
75	88	75	**79**

Caraibi

Sandy Lane

E' un po' old fashion e molto inglese questo resort "storico" di Barbados nato nel 1961. Nel tempo si è evoluto negli spazi mantenendo un ottimo servizio. Consigliato agli amanti della tradizione.

The Spa at Sandy Lane è di dimensioni generose e lo stile ricorda vagamente le terme romane. Articolata l'offerta dei trattamenti.

www.sandylane.com

Europa

Four Seasons Hotel Firenze

Seasons Hotel Firenze

environment	design	service	cuisine
78	79	76	91
health	spa	rooms	rating
68	97	91	**83**

Europa

Mandarin Oriental Hyde Park (Londra)

E' uno degli indirizzi più prestigiosi di Londra. Combina il fascino della storia con le moderne tecnologie. L'arredo è gradevole e in stile con l'edificio, anche se un tocco di contemporaneità non avrebbe guastato. Il pluripremiato ristorante Foliage merita senza dubbio una sosta, non solo per la cucina ma anche per il design, frutto dell'esperienza di Adam Tihany, che ha voluto "portare Hyde Park dentro il ristorante".

La spa è ricavata nel basamento dell'hotel ed è firmata da Espa. Design raffinato, atmosfera curata e grande professionalità dello staff. Questa è sicuramente la più bella spa di Londra e una delle migliori in assoluto.

www.mandarinoriental.com/london

environment	design	service	cuisine
87	85	78	100
health	**spa**	**rooms**	**rating**
91	95	84	**89**

Monaco

Europa

Hotel de Paris (Monte Carlo)

Dominante la piazza del Casinò, l'Hotel de Paris ha aperto le sue porte nel 1864. Simbolo stesso della leggenda di Monte Carlo questo splendido hotel ha conservato, aggiornandola costantemente, l'architettura Belle Epoque. Saloni eleganti. Camere e suite raffinate. Il ristorante tristellato Le Louis XV-Alain Ducasse è una festa indimenticabile per gli occhi e il palato. L'hotel di Paris è un hotel di lusso unico che seduce sempre.

Ampia e completa è l'offerta benessere proposta dalle Thermes Marins con vista sul porto e la rocca di Monaco.

www.hoteldeparismontecarlo.com

Top Gourmet Resort

environment	design	service	cuisine
90	83	64	89
health	**spa**	**rooms**	**rating**
67	77	86	**79**

Europa

Grand Hotel du Cap Ferrat

L'intensa luminosità. Il mare. La natura. Sensazioni uniche che inebriano in questo elegante Palace aperto nel 1909. Varcata la soglia si è subito avvolti dalla vista senza eguali che si ammira dalla Rotonde firmata Gustave Eiffel. In questo rifugio di rara bellezza che fonde lusso, identità e autenticità.

Ad ampliare il ventaglio dei momenti indimenticabili ci sono i 750 mq della Spa firmata Comfort Zone e Carita. Una Spa che si prolunga all'esterno con le cabanas disseminate nel giardino per unire benessere e contatto con la natura.

www.grand-hotel-cap-ferrat.com

environment	design	service	cuisine
70	90	76	87
health	**spa**	**rooms**	**rating**
60	0	83	**67**

Europa

InterContinental Carlton (Cannes)

Scendere al Carlton di Cannes è entrare a pieno titolo in una leggenda. La prima impressione è di leggere pagine intramontabili della grande storia dei Palace. Pagine privilegiate. Pagine che iniziano nella Belle Epoque allorché, nel 1913, comparve sulla Croisette l'inconfondibile silhouette del Carlton. La maestosa facciata simmetrica introduce all'interno. Il décor è ricercato. Gli spazi comuni - hall, scala, Grand Salon - sublimi. Capolavoro dell'Art Nouveau, questo elegantissimo hotel di 343 camere, di cui 39 suite, è stato oggetto di adeguate opere di rinnovamento conservando intatto lo charme inimitabile.

Non dispone di spa.

www.intercontinental.com

environment	design	service	cuisine
97	83	81	83
health	**spa**	**rooms**	**rating**
63	73	82	**80**

Europa

Reid's Palace (Madeira)

Grande albergo imperniato sulla sua parte storica, aperta nel 1891, immerso nello splendido giardino tropicale, il Reid's porge ai suoi ospiti, da 118 anni, un servizio che coniuga avanguardia e tradizione. Il leggendario hotel si protende sull'Oceano Atlantico occupando una posizione ineguagliabile dominante la baia di Funchal. Ospitalità di altissimo livello nelle sue 128 lussuose camere e nelle 35 suite. Il fortunato che vive in questo Palace coronerà allora la propria esperienza ricordando con piacere che I had tea at Reid's.

Il Reid's dispone di una spa moderna, accogliente, con una ricca serie di trattamenti da godere in perfetta simbiosi con la vista e i suoni dell'oceano.

www.orient-express.com

environment	design	service	cuisine
87	88	83	91
health	spa	rooms	rating
82	89	81	**86**

Europa

Badrutt's Palace (St. Moritz)

Il Badrutt's Palace è una pietra miliare dell'ospitalità di St. Moritz. Inaugurato nel 1896 offre 165 stanze e 30 suites con una vista mozzafiato sulle Alpi svizzere. Meta prediletta dal jet set internazionale ha conservato attraverso gli anni un indiscusso fascino. La Grande Dame, il ristorante, è formale con un rigido dress code per la cena e serve da sempre una eccelsa cucina francese.

Palace Wellness è l'area benessere e propone trattamenti di bellezza e una contenuta offerta di massaggi. Bella la vista sul lago dalla piscina riscaldata e ottima la sauna e il bagno turco, da non perdere dopo una giornata sugli sci o a passeggiare nei boschi.

www.badruttspalace.com

environment	design	service	cuisine
92	86	78	84
health	spa	rooms	rating
79	59	79	**80**

Svizzera

Europa

Suvretta House (St. Moritz)

All'arrivo il Suvretta appare come un castello ai piedi delle piste da sci. Incantato e accogliente allo stesso tempo nonostante il secolo di vita. Ottimo il servizio e affascinante la sala del Grand Restaurant, interamente foderata in legno.

L'area benessere comprende sauna, bagno turco e calidarium, tutti di generose dimensioni, oltre a una piscina riscaldata con pareti di vetro. Nella spa vera e propria si propongono massaggi e trattamenti di bellezza.

www.suvrettahouse.ch

environment	design	service	cuisine
82	91	69	100
health	spa	rooms	rating
67	80	88	**82**

Europa

Beau-Rivage Palace (Losanna)

Perfettamente inserito nel lungolago di Lausanne-Ouchy, il Beau-Rivage Palace è un incanto di stile. I due prestigiosi edifici di cui si compone, Beau Rivage (1861) e Palace (1908), uniti da un corridoio largo e caloroso, ne fanno, ancor oggi, un punto di riferimento per l'ospitalità di tutto il mondo. Un riferimento anche per il palato a partire dalla possibilità di gustare la cucina di Anne-Sophie Pic. La grande arte della tavola prosegue con La Rotonde, ristorante gastronomique stellato e con il Café Beau-Rivage, brasserie di lusso.

Al benessere, del corpo e dello spirito, pensa invece la Spa Cinq Mondes: un cammino in uno spazio evocativo pensato per la distensione e il coinvolgimento dei cinque sensi.

www.brp.ch

environment	design	service	cuisine
72	85	80	93
health	**spa**	**rooms**	**rating**
61	94	78	**80**

Europa

Brenner's Park-Hotel & Spa (Baden-Baden)

Se un viaggiatore raffinato, alla ricerca di un luogo ricco di fascino e memoria, si trovasse a Baden-Baden, non avrebbe dubbi: si dirigerebbe al Brenner's Park-Hotel & Spa. Tradizione. Grazia d'altri tempi. Attenzione ai concetti innovativi e alla modernità dei servizi. Cura dell'ospite. Soggiornare al Brenner's è infatti vivere nell'internazionalità più autentica ed elegante che caratterizza una storica stazione termale elitaria qual è Baden-Baden.

Brenner's vuol però anche dire salute e benessere. La Beauty Spa. La piscina in stile romano. L'area sauna e fitness. La Spa Suite. Una vasta gamma di massaggi rituali. La Medical Spa. Connubio di lusso discreto ed eleganza raffinata.

www.brenners.com

environment	design	service	cuisine
80	90	80	97
health	spa	rooms	rating
69	82	86	**83**

Europa

Villa Kennedy (Francoforte)

Il Villa Kennedy, sorto attorno alla neogotica Villa Speyer costruita nel 1904, si svela proprio a partire dalle forme architettoniche della sua maestosa entrata storica. Una volta all'interno, lo spazio, sintesi di tradizione e innovazione, allarga le sue ali avvolgendo l'ospite. Il design ha la chiara impronta del lusso minimalista e dell'eleganza informale.

La stessa simbiosi si ritrova negli 850 mq della Villa Spa pensata appositamente per rilassarsi. Tutto è concepito, nei tre livelli della Spa, per offrire dei momenti unici in quest'autentica oasi urbana per il corpo e lo spirito.

www.roccofortecollection.com

environment	design	service	cuisine
80	80	85	85
health	spa	rooms	rating
70	80	91	**82**

Europa

Park Hyatt Milano

Sorge a fianco della storica Galleria Vittorio Emanuele questo hotel il cui design contemporaneo è stato curato da Ed Tuttle. La grande cupola di vetro che copre il cortile permette di godersi le facciate interne neoclassiche al riparo dalle intemperie. Importanti le nuove suite, tra le quali campeggia per dimensioni e arredo l'Imperial. Da segnalare anche la Spa Suites. Da non dimenticare una sosta a The Park, il signature restaurant dell'hotel. Raffinato il design, servizio impeccabile e cucina innovativa con un occhio alla tradizione.

La spa è raccolta, con un menù di trattamenti essenziale orientato a una clientela business. Massaggi nei vari stili e trattamenti viso uomo-donna.

milan.park.hyatt.com

environment	design	service	cuisine
80	91	76	88
health	spa	rooms	rating
70	87	89	**83**

Italia

Europa

Bulgari Hotel, Milano

Nel cuore di Milano, tra via Montenapoleone e via della Spiga, a fianco del Giardino Botanico, sorge questa oasi di tranquillità e silenzio. Il complesso si compone di tre sezioni, delle quali la più antica è del XVIII secolo, che si affacciano su un ampio giardino privato. L'architetto Antonio Citterio, lo stesso del Bulgari Resort Bali, ha sapientemente ristrutturato il complesso creando spazi contemporanei lasciando qua e là accenti milanesi. Leggera e italiana la cucina dello chef Elio Sironi.

La spa è rivestita di pietra e legno chiari. Dalle ampie vetrate la luce illumina l'interno e fa brillare la piscina rivestita di mosaico d'oro. L'hammam invece è contenuto da vetro verde, e ci appare come un misterioso smeraldo.

www.bulgarihotels.com

environment	design	service	cuisine
80	85	95	85
health	**spa**	**rooms**	**rating**
90	70	80	**84**

Italia

Europa

Four Seasons Hotel Firenze

Questa gemma del Rinascimento fiorentino è stata la dimora del cardinale Alessandro de' Medici arcivescovo di Firenze salito al seggio papale con il nome di Leone XI. Le 116 stanze e suite sono ricavate in parte nel palazzo papale e in parte nell'ex Convento delle Suore di Santa Maria Riparatrice, cinquecentesco, oggi denominato Conventino. Un vasto parco romantico collega i due edifici.

In quest'oasi di verde e tranquillità sorgono la piscina, la spa e la palestra. Questi locali sono ricavati nella limonaia e nelle scuderie del palazzo.

www.fourseasons.com/fiorence

Top Historic Hotel

environment	design	service	cuisine
88	90	85	85
health	spa	rooms	rating
70	0	89	**72**

Europa

Villa San Michele (Fiesole)

E' ricavato in un monastero del XV secolo, sulla strada che dalla collina di Fiesole scende a Firenze. La facciata rinascimentale accoglie gli ospiti in una atmosfera permeata di storia. L'arredo è in stile con l'edificio. Il cortile, coperto in vetro, e il loggiato, ospitano l'ottimo ristorante La Loggia guidato dallo chef Attilio de Fabrizio. Dal giardino si gode un'ottima vista di Firenze.

Non dispone di spa.

www.orient-express.com

environment	design	service	cuisine
88	85	90	100
health	spa	rooms	rating
70	60	80	**82**

Italia

Europa

Palazzo Sasso (Ravello)

Lo scenario è quello incantevole della costiera amalfitana. L'albergo è stato ricavato nel 1997 dalla ristrutturazione di un palazzo normanno del XII secolo che sorge nel centro di Ravello a 350 metri sul livello del mare. Ottimo il servizio e ottima la cucina del ristorante Rossellinis, due stelle Michelin grazie allo chef Pino Lavarra.

L'area benessere è essenziale e comprende una piscina con idromassaggio, bagno turco e un menù di trattamenti di bellezza.

www.palazzosasso.com

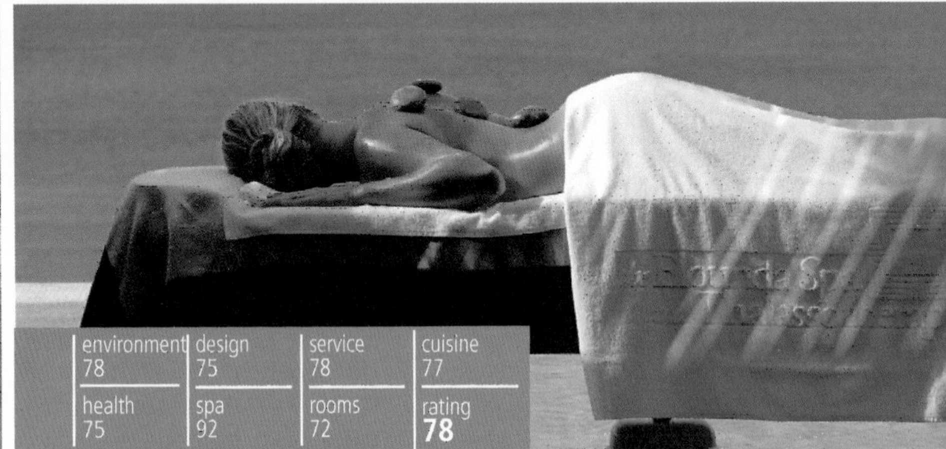

environment	design	service	cuisine
78	75	78	77
health	**spa**	**rooms**	**rating**
75	92	72	**78**

Europa

Blue Palace Resort & Spa (Creta)

Grande resort con ben 106 piscine, molte delle quali riservate agli ospiti delle deluxe suites. Il décor interno è molto curato e contemporaneo, solo qua e là rapide citazioni della cultura classica. Così come i grandi archi che caratterizzano l'architettura del complesso.

La Elounda Spa and Thalassotherapy combina l'opulenza di una grande ed elegante spa con i benefici dei trattamenti con l'acqua di mare. Si estende per ben 2000 mq su tre livelli e, oltre a diciassette cabine per trattamenti, comprende una piscina riscaldata, due vasche per talassoterapia, hammam e sauna.

www.bluepalace.gr

environment	design	service	cuisine
80	75	80	85
health	spa	rooms	rating
80	88	75	**80**

Europa

Anassa (Polis)

Sorge dietro i famosi bagni di Afrodite e si distingue per lo stile classico della sua architettura. Si compone di un corpo centrale e una serie di edifici che ospitano le suite che si articolano tra viuzze e piazzette, come un villaggio bizantino. Varie suite dispongono di terrazza, alcune con vasca con idromassaggio. Ottima la cucina tipicamente mediterranea.

La Thalassa Spa si ispira alle architetture dell'antica Roma. Al centro ha una piscina riscaldata. I trattamenti rivitalizzanti sono a base di acqua di mare come la talassoterapia e gli impacchi di alghe marine. Si praticano inoltre i massaggi shiatsu e l'aromaterapia. Dispone anche di una palestra e di un campo da squash.

www.anassa.com.cy

Africa

The Residence, Tunis

Sabi Sabi Earth Lodge, South Africa

environment	design	service	cuisine
95	93	79	93
health	**spa**	**rooms**	**rating**
64	87	84	**85**

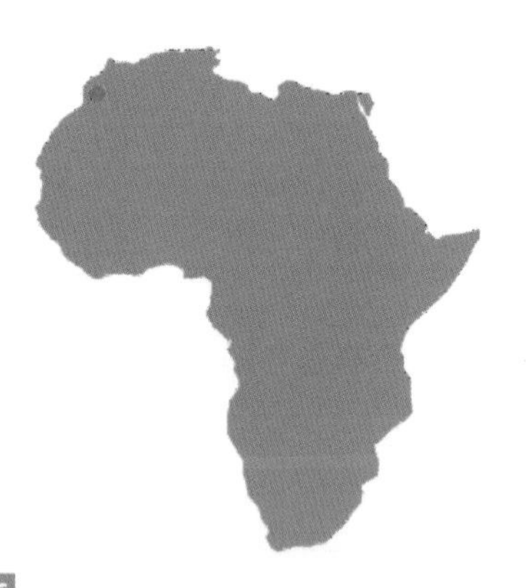

La Mamounia (Marrakesh)

Un Palace che è una straordinaria leggenda. Gli inconfondibili doorman schiudono le porte del sogno esotico incarnato dall'imponente struttura architettonica moresca e Art déco della Mamounia. Un luogo magico capace di catalizzare l'attenzione dell'élite internazionale fin dal 1923. Questa "Grande Dame" del mito è tornata per dimostrare che sogno, lusso, calma, modernità e tradizione possono ancora regnare incontrastati.

La grande Spa, 2500 mq in collaborazione con Shiseido, completa un'offerta che si prende cura del benessere.

www.mamounia.com

Tunisia

environment	design	service	cuisine
78	75	70	80
health	**spa**	**rooms**	**rating**
78	85	78	**78**

Africa

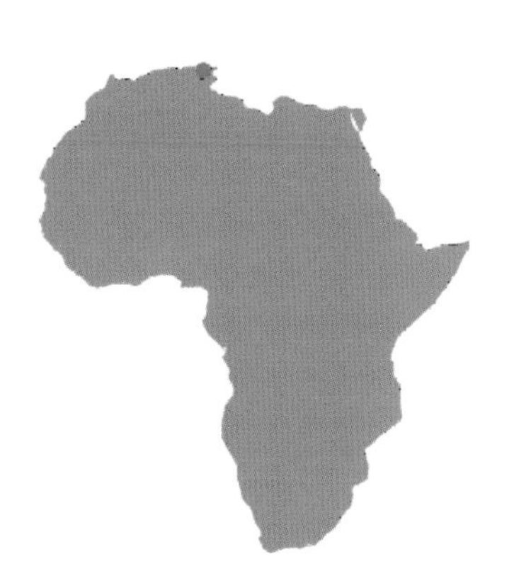

The Residence Tunis

A pochi chilometri da Cartagine, sulle coste del Mediterraneo immerso nel verde sorge questo ameno resort. Cupole, balconi, terrazze, griglie, archi. E' sicuramente di fascino questo resort sulla costa Tunisina, così convenientemente localizzato da essere a un passo da aeroporto, capitale e centri archeologici. La compagnia, proprietaria anche dell'omonimo resort a Mauritius, ha fatto il possibile per creare quello che è unanimemente conosciuto come la migliore destinazione tunisina.

Sono sicuramente Les Thermes Marins de Carthage a dare carattere al resort. Ispirandosi alla tradizione locale la struttura offre una vasta gamma di trattamenti per la cura del corpo.

www.theresidence.com

Sudafrica

environment	design	service	cuisine
90	90	70	75
health	**spa**	**rooms**	**rating**
75	80	88	**81**

Africa

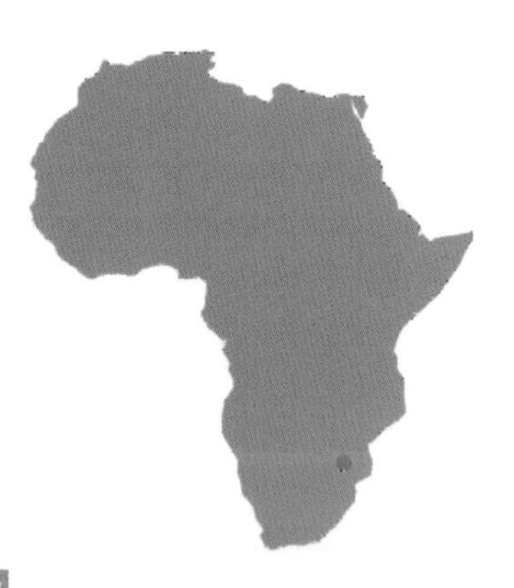

Singita Sweni Lodge (Kruger N.P.)

Lodge dal design molto contemporaneo, decisamente inusuale in questa parte del mondo. Si fa grande uso di materiali naturali mentre i colori sono i verdi e i marroni della savana. Le grandi vetrate e gli spazi aperti permettono di godere dell'ambiente circostante.

La spa è condivisa con il vicino Singita Lebombo Lodge. Il menù è essenziale, i trattamenti si tengono sia in interni che in esterni in un ambiente rilassato e informale.

www.singita.com

environment	design	service	cuisine
90	80	70	75
health	spa	rooms	rating
80	80	80	**79**

Africa

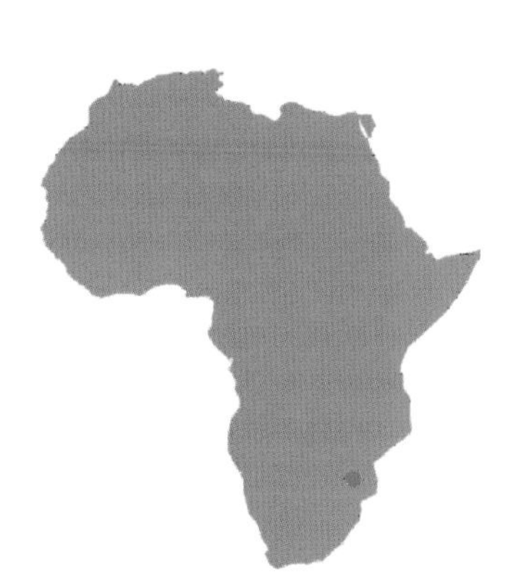

Singita Lebombo Lodge (Kruger N.P.)

Il design di questo lodge, come per il vicino Singita Sweni, è moderno. Molto vetro, pietra, legno e acciaio. Le grandi vetrate mettono in comunicazione interno ed esterno e permettono di usufruire della vista sul parco.

La spa è condivisa con il Singita Sweni Lodge. L'offerta di trattamenti è contenuta. Questi vengono offerti sia in interni che in esterni.

www.singita.com

environment	design	service	cuisine
100	95	76	80
health	**spa**	**rooms**	**rating**
75	80	90	**85**

Africa

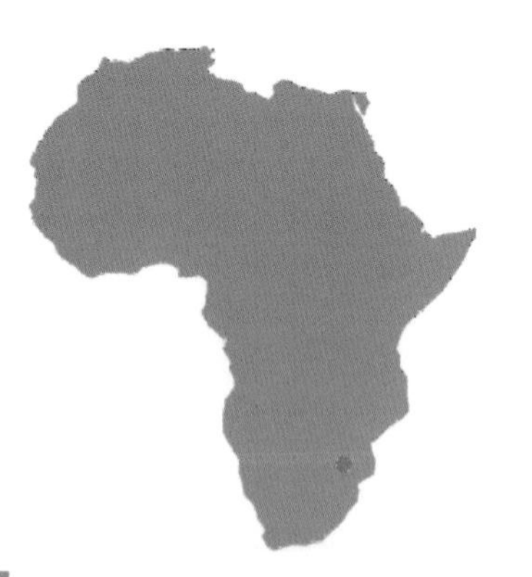

Sabi Sabi Earth Lodge (Sabi Sabi Reserve)

Premiato come Top Lodge dalla nostra rivista questa struttura stupisce per l'architettura invisibile che scompare nella roccia. Un ottimo esempio di inserimento ambientale. Gli interni delle tredici suite poi sono molto contemporanei e si fa grande uso di pietra e legno. Ogni suite dispone di un maggiordomo.

La Amani Spa at Earth Lodge si apre sulla natura circostante e offre una discreta varietà di trattamenti olistici per il corpo oltre a rituali e massaggi.

www.sabisabi.com

Top Lodge

Sudafrica

environment	design	service	cuisine
90	80	88	100
health	**spa**	**rooms**	**rating**
70	55	78	**80**

Africa

Grande Roche (Paarl)

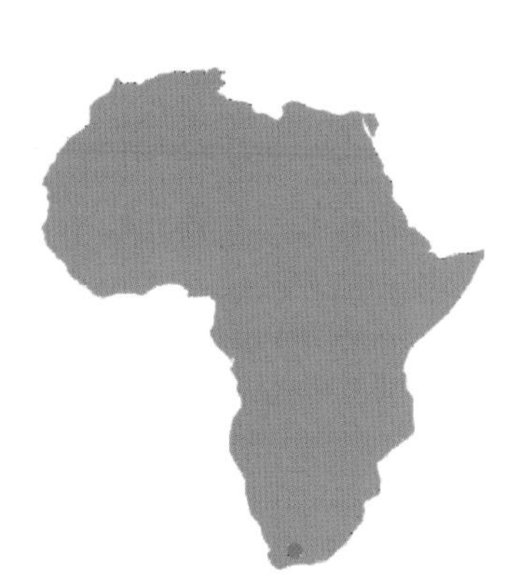

Sorge tra i vigneti della Regione del Capo ed era in origine una fattoria dei boeri. Ottimo gourmet resort, grazie all'eccellente e pluripremiato Bosman's Restaurant affidato alle mani esperte degli chef Frank Zlomke e Jochen Riedel. E' anche uno dei migliori alberghi del Sudafrica.

Non dispone di una spa ma di una suite dedicata dove si possono scegliere massaggi svedesi e alcuni trattamenti di bellezza.

www.granderoche.co.za

Medio Oriente

Burj Al Arab, Dubai

Emirates Palace, Abu Dhabi

Bahrain

environment	design	service	cuisine
82	93	85	77
health	spa	rooms	rating
81	95	88	**86**

Medio Oriente

Al Areen Palace & Spa

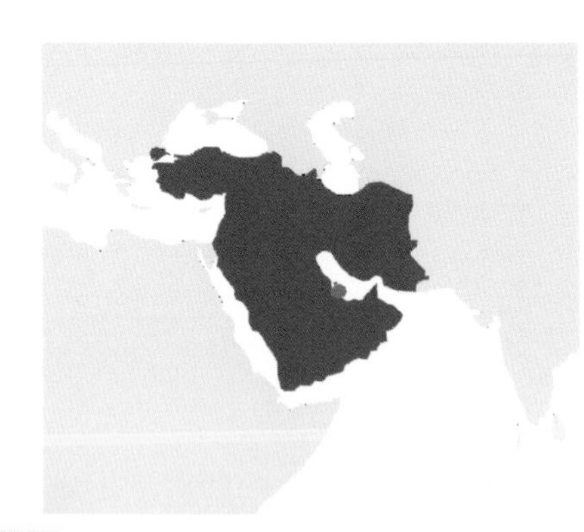

Aperto a inizio 2007 l'Al Areen Palace & Spa con le sue ampie ville, con patio, piscina e giardini privati, si propone come una delle migliori strutture ricettive del golfo Persico. Lo stile è chiaramente ispirato all'architettura araba, archi ogivali, vasche e decorazioni geometriche a bassorilievo. Una cura che continua negli interni con attente rifiniture.

La spa, in assoluto una delle più grandi del Medio Oriente, si compone di tre distinte aree: la Spa vera e propria, l'Hydrothermal Garden e l'Health Club. La varietà e qualità dei trattamenti e rituali ne fanno un must.

www.lhw.com

UAE

environment	design	service	cuisine
86	95	85	85
health	**spa**	**rooms**	**rating**
80	93	100	**89**

Medio Oriente Emirates Palace

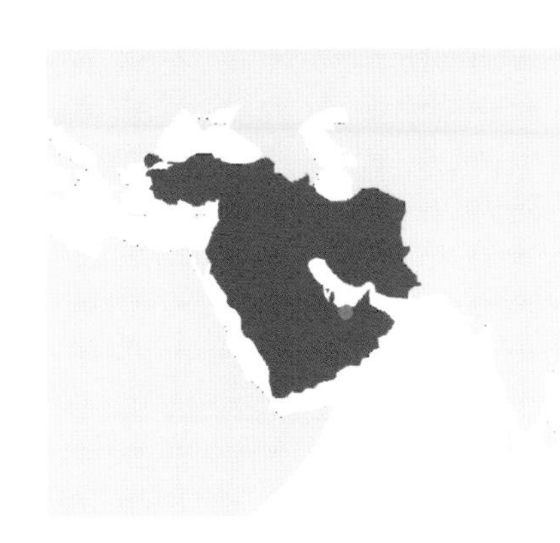

E' l'icona di Abu Dhabi. Pensato come residenza per le delegazioni straniere in visita è poi divenuto un hotel da quasi 400 stanze. Lungo un chilometro lo stile è arabeggiante-contemporaneo, molto "goldish". Anche nei dolci dove ne viene usato circa 5 chilogrammi ogni anno. Può piacere o meno ma non si può negare che percorrere i suoi lunghi saloni è un'emozione difficile da dimenticare.

L'Anantara Spa è in stile marocchino, molto elegante e di dimensioni generose. L'atmosfera è assicurata dall'uso sapiente della luce che filtra da griglie.

www.emiratespalace.com

Top Suite Resort

environment	design	service	cuisine
63	70	68	75
health	**spa**	**rooms**	**rating**
68	70	85	**71**

Medio Oriente Shangri-la Hotel, Qaryat Al Beri

E' un complesso decisamente vasto questo. Accanto al resort vero e proprio sorgono alcune ville e le Residences sempre gestite da Shangri-la. L'architettura cita frequentemente gli stilemi della tradizione araba coniugandoli con le più moderne tecnologie. La localizzazione sul mare accresce il fascino della proprietà. Le suites sono ampie ed elegantemente arredate.

Alla Chi, The Spa at Shangri-la ci si può andare anche in barca, un canale infatti collega la proprietà. Qui si trovano la palestra, il juice bar, una piscina, una yoga room e i locali per i trattamenti.

www.shangri-la.com

environment	design	service	cuisine
90	100	100	93
health	spa	rooms	
85	95	100	

Medio Oriente

Burj Al Arab (Dubai)

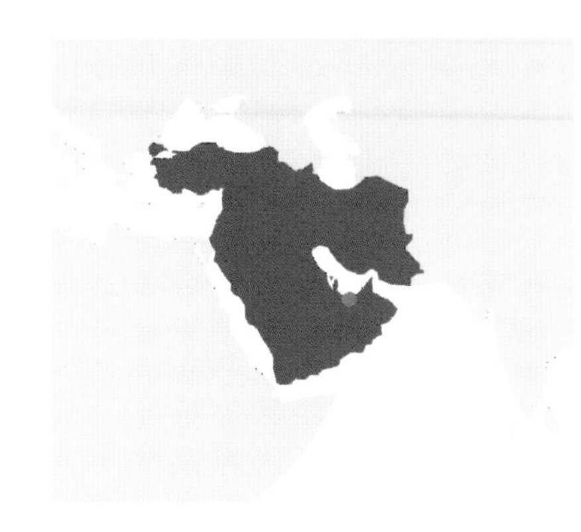

In forma di hotel ma con tutti i vantaggi di un resort, la "torre degli arabi" con le sue sette stelle offre suite che sono veri e propri appartamenti che spaziano dai 170 ai 780 mq. Il design è indefinibile e indimenticabile. Il servizio del maggiordomo personale è impeccabile. Gran dispiego di Rolls-Royce, placcature d'oro, mosaici, raso, tecnologie avveniristiche e ... champagne millesimato. Può piacere o no ma di sicuro non lo si può giudicare se non ci si passa almeno una notte.

La Assawan Spa poi, con la sua piscina a sfioro ricoperta di mosaici policromi e tessere d'oro, con le sue colonne egizie, al tramonto regala un'emozione indimenticabile, con una vista mozzafiato sulla città e il deserto alle sue spalle.

www.burjalarab.com

UAE

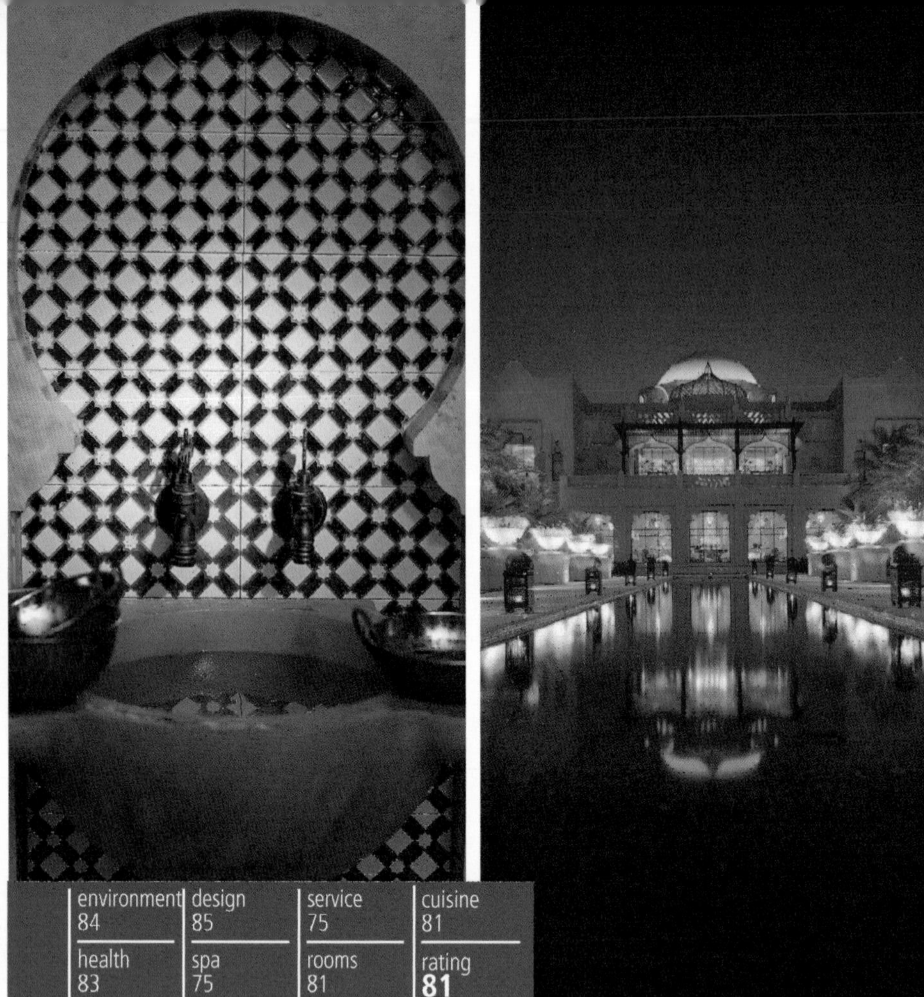

environment	design	service	cuisine
84	85	75	81
health	**spa**	**rooms**	**rating**
83	75	81	**81**

Medio Oriente One&Only Royal Mirage (Dubai)

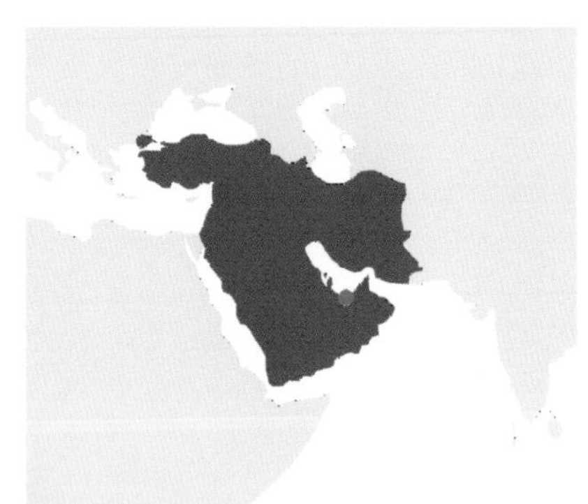

Grande resort ubicato ai piedi della palma di Jumeirah, il primo grande arcipelago artificiale ad essere inaugurato a Dubai. Si compone di tre distinti edifici: The Palace, The Arabian Court and The Residence & Spa. Lo stile moresco comune a tutti gli edifici è caratterizzato da cupole, archi, torri e patii. Ottimo il servizio e varia la cucina.

La Givenchy Spa è solo una settore del grande edificio che ospita l'offerta health & beauty del resort. Il complesso infatti annovera anche un grande hammam, una palestra, il Gonzales Chiropody & Pedicure Centre e lo Zouary Hair Salon.

www.oneandonlyresorts.com

environment	design	service	cuisine
100	95	84	83
health	spa	rooms	rating
70	90	99	**89**

Medio Oriente

Al Maha, a Luxury Collection (Dubai)

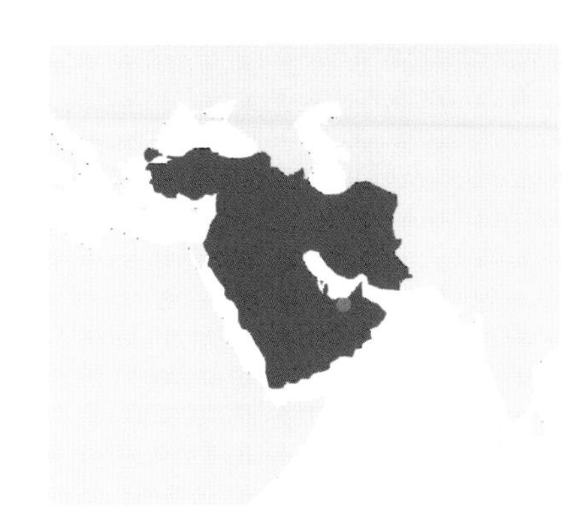

L'Al-Maha Desert Resort & Spa è un hotel unico che sorge dalle dune della Dubai Desert Conservation Reserve protetto da una riserva ecologica. Tappeti, mobili di legno, oggetti antichi, decorano le 42 suite restituendo l'art de vivre araba. Lo spirito architettonico della struttura è quello di un accampamento beduino. Le comodità sono assolute. La sintesi tra opera dell'uomo e ambiente naturale è perfetta. Una piccola isola di discrezione protetta, sofisticata, affascinante.

L'Al Maha Timeless Spa si dispone attorno alla piscina e appare contornata dal giardino di palme. I prodotti utilizzati per i trattamenti incorporano l'essenza del luogo, ovvero datteri e incenso.

www.starwoodhotels.com/luxury

UAE

environment	design	service	cuisine
80	95	88	90
health	**spa**	**rooms**	**rating**
68	92	95	**87**

Medio Oriente

Armani Hotel (Dubai)

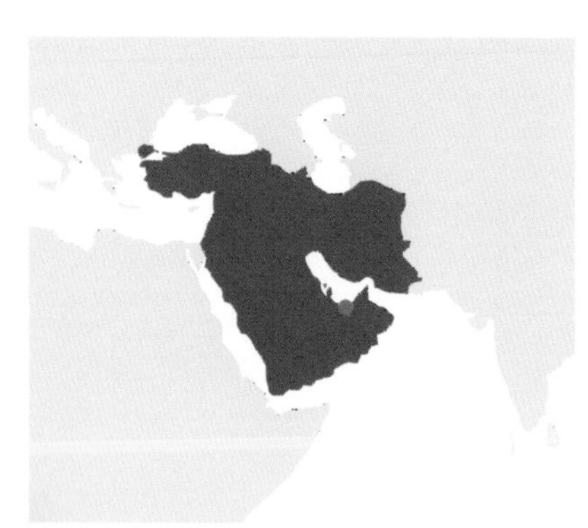

La Burj Khalifa, la struttura umana più alta del mondo con i suoi 828 metri, accarezza lo sguardo. In questa cornice d'eccezione, a Downtown Dubai, Giorgio Armani ha traslato il suo universo creativo in una nuova visione dell'ospitalità: un fashion hotel la cui unicità si coglie fin dal caldo benvenuto riservato all'ospite.

Il concetto che fa del benessere una risorsa preziosa da fruire in modo personalizzato lo definisce l'Armani/Spa. L'innovativo Spa Time dà all'ospite la facoltà di riservare semplicemente la durata del momento da dedicare a se stessi.

www.armanihotels.com

Top Design Hotel

environment	design	service	cuisine
80	80	82	75
health	**spa**	**rooms**	**rating**
84	80	70	**79**

Medio Oriente Shangri-la's Barr Al Jissah (Muscat)

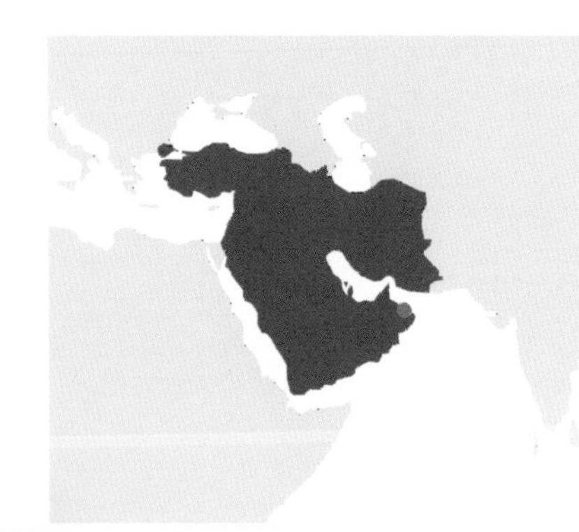

Inaugurato nel 2006, questo complesso comprende tre diversi resort per un totale di 680 tra stanze e suite. L'Al Waha è rivolto a un pubblico di famiglie, l'Al Bandar si rivolge a un'utenza business, mentre l'Al Husn è la sezione più esclusiva di tutto il complesso. Ha un ingresso privato, sorge su un'altura e domina tutta la proprietà.

La Chi Spa è un vasto complesso che comprende anche la palestra, la sauna e il bagno turco. Le suites per i trattamenti sono disposte attorno a un giardino con giochi d'acqua.

www.shangri-la.com

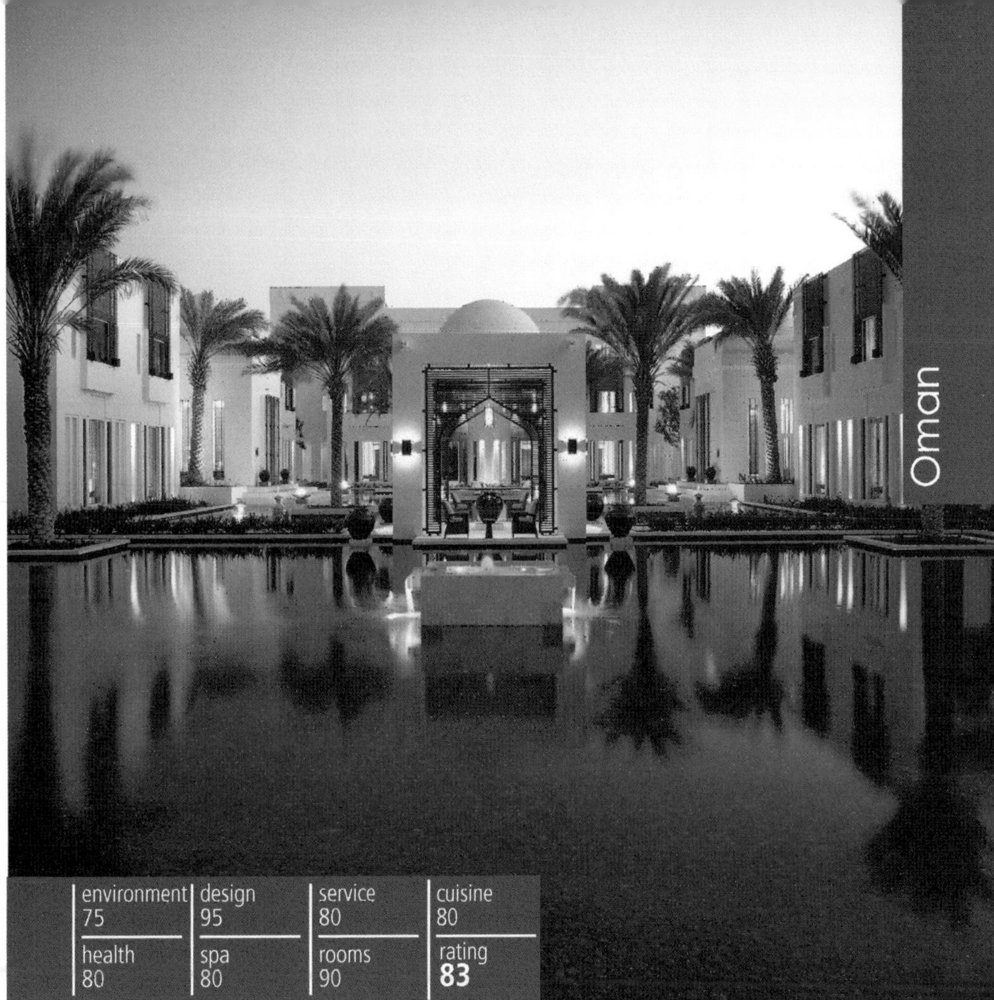

environment	design	service	cuisine
75	95	80	80
health	spa	rooms	rating
80	80	90	**83**

The Chedi Muscat

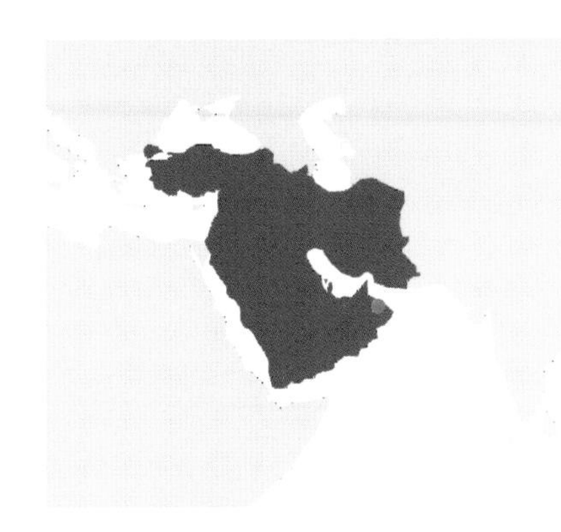

Affacciato sul golfo persico questo resort si caratterizza per l'elegante design contemporaneo arricchito da note islamiche. Le 151 stanze e suite sono abbondanti negli spazi, i colori prevalenti sono il bianco delle pareti e dei divani, il marrone del legno e il grigio dei complementi d'arredo. Ottima la cucina del ristorante che serve piatti arabi, mediterranei, asiatici e indiani preparati in aree separate e con chef indigeni.

La spa ubicata in un edificio a se stante circondato dal giardino comprende sette stanze per trattamenti tra le quali quattro sono suites. I trattamenti sicuramente da provare sono The Ocean Ritual e The Omani Bliss Ritual.

www.ghmhotels.com

Oceano Indiano

Coco Palm Bodu Hithi, Maldives

Four Seasons Explorer, Maldives

environment	design	service	cuisine
94	83	90	90
health	**spa**	**rooms**	**rating**
80	96	86	**88**

Oceano Indiano

Four Seasons Resort at Kuda Huraa

Il resort si compone di un centinaio di bungalow in parte disseminati sull'isola e in parte sul mare retti da palafitte, questi ultimi con terrazza e accesso diretto al mare. Il periplo dell'isola richiede un quarto d'ora al massimo e si snoda tra spiagge di una sabbia corallina finissima e abbagliante. Qui fa base il Four Seasons Explorer (pagine seguenti), fantastico catamarano che itinera tra atolli disabitati collegando il Kuda Huraa al Landaa Giraavaru. Ideale per chi fa sub o snorkeling ma anche per chi ama la solitudine. Picnic su banchi di sabbia e barbecue su isole deserte sono all'ordine del giorno. Tra un massaggio e l'altro praticato sotto una tenda sul ponte.

E' la spa il vero evento del Kuda Huraa. Situata sull'isoletta Hura Funhu si raggiunge con un dhoni. Un trattamento è un viaggio, in una atmosfera ovattata fatta di silenzio, aromi di oli essenziali e tisane di ginger e lime.

www.fourseasons.com/maldiveskh

Maldive

environment	design	service	cuisine
100	99	100	99
health	spa	rooms	rating
100	99	100	**100**

Four Seasons Resort at Landaa Giraavaru

Sono 102 le ville tra quelle sulla spiaggia e quelle su palafitte. Generose negli spazi e con un design contemporaneo ma con note di tradizione, soprattutto nei materiali. Il servizio eccelso, la cucina di altissimo livello, l'inserimento ambientale estremamente curato ne fanno una struttura irrinunciabile.

La spa è essa stessa un resort. Un tempio del benessere che offre una serie di trattamenti di tradizione orientale e ayurvedici, ma anche un luogo dove praticare yoga con il maestro residente sull'isola. Il complesso è ubicato in parte nell'interno dell'isola e in parte sul mare, su una superficie di un ettaro, con dieci padiglioni per i trattamenti.

www.fourseasons.com/maldiveslg

environment	design	service	cuisine
90	85	70	78
health	spa	rooms	rating
80	80	79	**80**

Oceano Indiano

Conrad Maldives Rangali Island

Vuole stupire questo resort composto da due isole collegate da un lungo ponte. Stupisce per il ristorante sottomarino dalle pareti di vetro e anche per i pavimenti di vetro in alcune stanze. Le ville sono in gran parte su palafitte e solo alcune si affacciano sulla spiaggia.

Le spa sono due. The Spa Retrait dispone di nove spa water villas, ognuna con la sua stanza per i trattamenti. Mentre The Over-Water Spa, isolata nella laguna, dispone di tre padiglioni per trattamenti con il pavimento di vetro.

www.conradhotels.com

environment	design	service	cuisine
95	82	98	82
health	**spa**	**rooms**	**rating**
85	94	83	**88**

Oceano Indiano

Taj Exotica Resort & Spa, Maldives

62 ville disposte in parte sulla spiaggia e in parte su palafitte compongono questo eremo maldiviano. Particolarmente accurato è l'arredo, l'architettura è tradizionale, con la copertura in paglia essiccata. Ottimo il servizio e la cucina.

La Jiva Grande Spa sorge su un'isola a fianco del resort e garantisce un'invidiabile calma e tranquillità. Al centro ha un cortile con giardino mentre i padiglioni per i trattamenti sono su palafitte. Il legno e la pietra uniti a un design essenziale creano spazi ideali per il relax. Vi è anche un padiglione per lezioni di yoga e meditazione e una VIP spa suite.

www.tajhotels.com

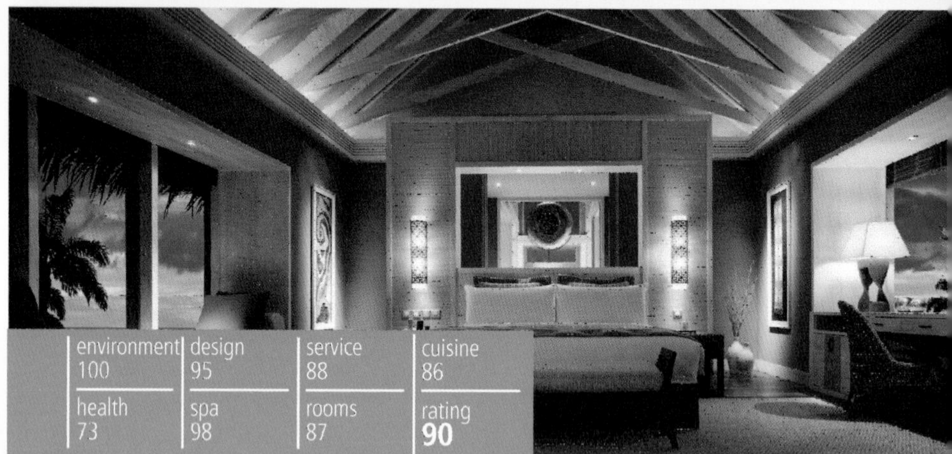

environment	design	service	cuisine
100	95	88	86
health	**spa**	**rooms**	**rating**
73	98	87	**90**

Oceano Indiano

Shangri-la's Villingili, Maldives

Superato l'Equatore, il turboelica della Maldivian atterra al Gan International Airport. L'atollo di Addu è il più a sud delle Maldive. Lo Shangri-La's Villingili Resort and Spa è un gioiello unico per l'ospitalità di alto livello nella parte meridionale dell'arcipelago disseminato nell'Oceano Indiano. Il motoscafo conduce rapidamente all'isola-resort L'accoglienza è curata in ogni dettaglio. Sole. Mare. Sabbia bianchissima.

La Chi Spa è un'oasi di pace e armonia. I trattamenti, accolti nelle apposite ville sono prodigati da uno staff professionalmente elevato. Un cammino filosofico dei sensi che somma ai piaceri della distensione quelli della contemplazione.

www.shangri-la.com

environment	design	service	cuisine
100	100	98	99
health	**spa**	**rooms**	**rating**
100	100	100	**100**

Oceano Indiano

One&Only Maldives at Reethi Rah

E' uno dei resort maldiviani più recenti. Il design è molto contemporaneo, si fa grande utilizzo del legno e vengono mantenuti i tetti tradizionali di foglie essiccate. La spiaggia che circonda l'isola è di un candore abbacinante, è vasta, suddivisa in varie baie e di una profondità inusuale nell'arcipelago. Le ville sono ampie e di una straordinaria qualità di materiali che alternano pietra e legno. Senza dubbio è tra i migliori resort delle Maldive e il più glamour, meta prediletta delle star.

La spa è firmata da Espa e più che singole sedute offre percorsi personalizzati che combinano esercizio, alimentazione e trattamenti. Bella la location e ampi gli spazi contornati da una fitta vegetazione.

www.oneandonlyresorts.com

Top Resort Worldwide & Top Beach Resort

Sri Lanka

environment	design	service	cuisine
80	88	78	80
health	spa	rooms	rating
80	87	85	**83**

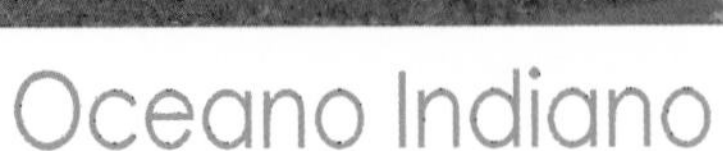

The Fortress Galle

Motivi olandesi e portoghesi fusi con quelli indigeni arricchiscono questa architettura in forma di forte murato, sorta sulla spiaggia della cittadina di Galle. Dentro le mura sono giardini, residenze e spazi comuni. Il déor degli interni è invece molto contemporaneo con mobili di design.

La Lime Spa propone trattamenti ayurvedici e mette a disposizione degli ospiti sauna, bagno turco, hydrobath e un padiglione per praticare yoga.

www.thefortress.lk

environment	design	service	cuisine
80	80	85	80
health	**spa**	**rooms**	**rating**
75	76	80	**79**

Oceano Indiano

Amanwella (Tangalle)

Questo recente resort srilankese sorge sul mare, nei pressi del villaggio di Tangalle, nel sud dell'isola. Le trenta suites sono di un design essenziale, molto contemporaneo, e ognuna ha la sua piscina e terrazza.

Non c'è una vera e propria spa, però nel giardino di palme sono ricavate aree particolarmente suggestive e isolate dedicate ai trattamenti. In alternativa gli ospiti possono scegliere la privacy della propria suite.

www.amanresorts.com

Seychelles

environment	design	service	cuisine
81	80	81	82
health	**spa**	**rooms**	**rating**
80	92	81	**82**

Oceano Indiano Banyan Tree Seychelles (Mahé Island)

Ubicato sull'Intendance Bay, una delle spiagge più fotografate delle Seychelles questo resort si compone di 47 ville con piscina che uniscono lo stile coloniale dell'arcipelago con motivi contemporanei.

La Banyan Tree Spa Seychelles è posta in cima a una collina con una notevole vista sull'Oceano Indiano.

www.banyantree.com

environment	design	service	cuisine
100	89	88	87
health	spa	rooms	rating
82	81	89	**88**

Oceano Indiano

Frégate Island Private

Il mito di Robinson rivive in quest'isola privata parco naturalistico e antica piantagione di cocco. Vegetazione lussureggiante. Uccelli rari. Tartarughe giganti. Sabbia bianchissima. Si rinuncia così alla civiltà ma non al lusso presente in ognuna delle sedici ville immerse nella vegetazione e con vista sull'Oceano. Il servizio impeccabile è supervisionato dal butler che si occupa del tè come della colazione sull'albero, del pranzo nella giungla o dell'elegante cena al Plantation Restaurant.

In una delle aree più elevate dell'isola sorge la Rock Spa. Nella penombra delle sale per i trattamenti si ritrova la componente dominante del Resort: il legno. Il menù offre terapie olistiche provenienti da tutto il mondo.

www.fregate.com

environment	design	service	cuisine
80	75	80	80
health	spa	rooms	rating
85	90	75	**81**

Oceano Indiano Shanti Maurice

Nato dall'esperienza di Ananda in the Himalaya è eminentemente un raffinato spa resort molto orientato verso la medicina olistica in un'isola conosciuta per le forti influenze indiane. Le ville sono tutte sulla spiaggia e ottimamente rifinite. Da segnalare il servizio particolarmente attento e discreto.

La spa è circondata da un giardino tropicale e offre un articolato menù. I trattamenti combinano esperienze legate alla tradizione ayurvedica e alla talassoterapia abilmente fuse con trattamenti di bellezza di ispirazione occidentale.

www.shantimaurice.com

environment	design	service	cuisine
80	70	75	75
health	**spa**	**rooms**	**rating**
70	75	80	**75**

Oceano Indiano

Le Touessrok

Da quando è stato ristrutturato questo datato resort Mauriziano è diventato una star. Il décor e l'arredo contemporaneo, la cucina raffinata e d'invenzione, la tecnologia profusa nelle suite ne fanno un struttura di prim'ordine.

La Givenchy Spa occupa un edifico a parte con otto stanze per trattamenti, una piscina riscaldata, una palestra, saune e bagno turco separati per uomini e donne. I prodotti utilizzati sono quelli del Group LVMH prodotti espressamente per Givenchy.

www.letouessrokresort.com

environment	design	service	cuisine
85	80	85	83
health	**spa**	**rooms**	**rating**
80	75	80	**81**

Mauritius

Oceano Indiano

Le Prince Maurice

E' stato a lungo il miglior resort di Mauritius. Oggi è ancora un'ottima struttura con un servizio e una cucina che lo distinguono dalla concorrenza. Bella la Princely Villa, isolata, con una piscina a sfioro di grande effetto. Una parte delle ville sorge su palafitte in una suggestiva laguna di mangrovie.

La spa è una delle prime dell'Institut de Guerlain. I trattamenti principalmente di bellezza includono anche diversi tipi di massaggi e sono studiati per utilizzare al meglio i prodotti della casa di cosmesi parigina.

www.princemaurice.com

Asia

Taj Lake Palace Hotel, Udaipur

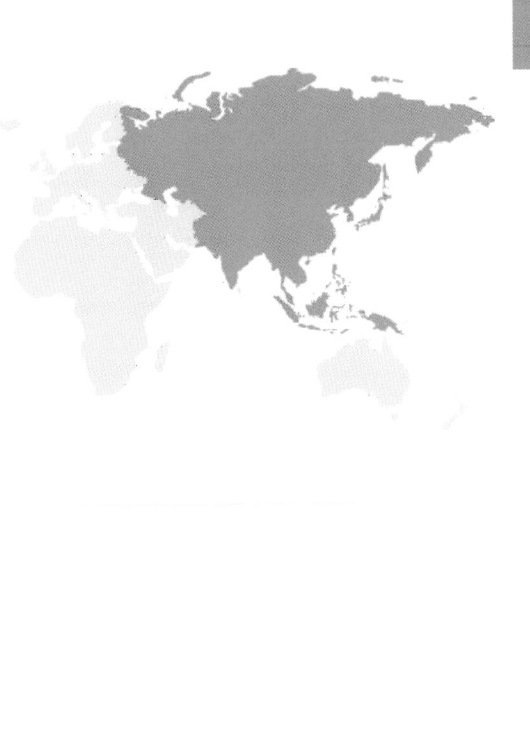

Pangkor Laut Resort, Malaysia

India

environment	design	service	cuisine
75	80	80	78
health	spa	rooms	rating
75	84	80	**79**

Asia

Taj Mahal Palace (Mumbai)

E' stato il primo grande albergo di Bombay ora Mumbai. Il primo veramente internazionale pur presentandosi così "indiano". Il Taj Mahal ha attraversato rivoluzioni, guerre e attentati sopravvivendo alle follie di generazioni, testimoniando l'internazionalità e la trasversalità del concetto di ospitalità. Un mito che rinasce e ci accompagnerà per molti anni ancora raccontandoci la storia di una giovane nazione e di una terra antica e affascinate.

La Jiwa Spa unisce l'antica tradizione indiana con i trattamenti contemporanei in un ontesto di rara suggestione.

www.tajhotels.com

India

environment	design	service	cuisine
80	90	88	85
health	spa	rooms	rating
80	85	88	**85**

Asia

Amanbagh (Jaipur)

Ubicato nella regione desertica di Alwar il resort è un'oasi verde tra le dune circostanti. Si compone di una edificio centrale con reception e servizi e di suite e padiglioni indipendenti tutti caratterizzati dall'architettura tradizionale del Rajasthan. Anche gli interni sono molto curati e ricchi di legni pregiati.

The Spa at Amanbagh offre esperienze yoga, qigong, reiki e di meditazione oltre un vario menù di trattamenti. I prodotti usati sono Aman Spa.

www.amanresorts.com

India

environment	design	service	cuisine
90	95	80	80
health	**spa**	**rooms**	**rating**
80	87	89	**86**

Asia

Taj Lake Palace (Udaipur)

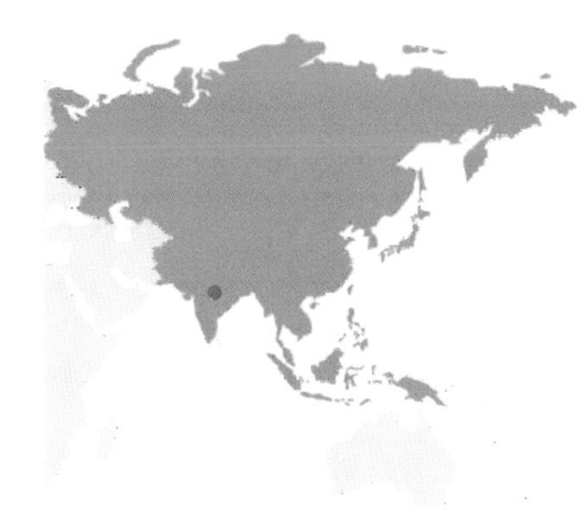

Antica residenza settecentesca del Maharaja Jagat Singh II, il Taj Lake Palace sorge isolato al centro del lago Pichola dove il sovrano cercava refrigerio dalla calura estiva. Come una nave di marmo bianco ancora oggi il palazzo testimonia la grandezza e i lusso raggiunto dalla dinastia reale di Mewar.

La Taj Spa offre una esperienza paragonabile a quella di una spa reale indiana. Nelle stanze graziosamente affrescate si offrono trattamenti aromaterapici, ayurvedici, lezioni di yoga e meditazione nonché i tradizionali massaggi.

www.tajhotels.com

environment	design	service	cuisine
88	90	80	80
health	**spa**	**rooms**	**rating**
75	80	80	**82**

Asia

The Oberoi Udaivilas (Udaipur)

Sulle rive del lago Pichola, a fianco del City Palace, il resort tramanda i fasti di un'era gloriosa. Lo stile è moghul, lo stesso che caratterizza la città, e le suite, alcune delle quali con piscina a sfioro, sono comprese in un complesso ricco di cupole, altane e finestre ad arco.

La Oberoi Spa ha una sua piscina e varie suite per i trattamenti rivolte al lago. La serenità dello specchio d'acqua unita all'eleganza dell'architettura contribuisce a rendere speciale il luogo.

www.udaivilas.com

environment	design	service	cuisine
90	95	95	95
health	**spa**	**rooms**	**rating**
93	95	95	**94**

Asia

Taj Umaid Bhawan Palace (Jodhpur)

Terminato nel 1943 è l'ultimo dei grandi palazzi indiani e una delle più grandi residenze private al mondo. A volerlo fu la famiglia reale di Jodhpur. Lo stile fonde forme occidentali (come la cupola rinascimentale) e indiane (come le numerosi torri). Il décor all'interno e soprattutto l'arredo si ispirano all'Art Déco.

La Taj Spa si organizza attorno a una piscina interna chiamata Zodiac. Oltre alle suite per i trattamenti dispone di una palestra, di un campo da tennis e uno squash in marmo. I trattamenti sono quelli tipici della tradizione indiana.

www.tajhotels.com

India

environment	design	service	cuisine
90	91	80	80
health	**spa**	**rooms**	**rating**
80	90	90	**86**

Asia

The Oberoi Rajvilas (Jaipur)

Immerso in un lussureggiante giardino alle porte di Jaipur il resort colpisce per l'architettura moghul che ricrea gli spazi tipici dei palazzi dei maharaja. Suite, tende e ville sono disposte nel giardino e si alternano a vasche e all'edificio centrale in forma di forte.

La Oberoi Spa è una sosta obbligata dopo una giornata di visite ai monumenti di Jaipur. Estremamente preparato e discreto il personale, bella la sala yoga nell'area di un antico tempio dedicato a Shiva.

www.oberoirajvilas.com

India

environment	design	service	cuisine
90	95	85	70
health	**spa**	**rooms**	**rating**
69	60	90	**80**

Asia

Aman-i-Khas (Ranthambhore)

Dal 2006 è da noi eletto Top Tent Resorts. Aman-i-Khas è un ameno campo tendato nel mezzo del Ranthambhore National Park. Ideale per gli amanti della natura che non vogliono rinunciare a nulla, ma proprio a nulla, delle comodità di una struttura di lusso. Un falò viene acceso ogni notte in una lounge all'aperto che funge da punto di ritrovo dopo le escursioni.

Non dispone di una spa vera e propria ma di aree per trattamenti. Il menù è essenziale.

www.amanresorts.com

Top Tent Resort

environment	design	service	cuisine
80	81	79	95
health	**spa**	**rooms**	**rating**
100	100	75	**87**

Asia

Ananda in the Himalayas

Vero spa-resort Ananda nasce dalla ristrutturazione della residenza del maharaja di Tehri-Garhwal. Stanze e suites hanno vista sul Gange, sulla cittadina o sul palazzo. Da segnalare la cucina, rigorosamente healthy. Lo chef rivisita la tradizione indiana coniugandola con il meglio dell'esperienza internazionale, utilizzando esclusivamente vegetali organici.

L'Ananda Spa offre un menu di una ottantina di trattamenti che integrano la tradizione indiana ayurvedica con le più moderne tendenze del settore. Ananda Spa però va oltre impiegando terapisti e medici in grado di studiare un piano personalizzato di trattamenti e attività che guiderà l'ospite in un itinerario rigenerante.

www.anandaspa.com

India

environment	design	service	cuisine
87	85	80	80
health	**spa**	**rooms**	**rating**
80	80	80	**82**

Asia

The Oberoi Cecil (Shimla)

Questo elegante resort coloniale è stato mirabilmente restaurato e riportato all'originario splendore con i suoi pavimenti in legno, i camini in pietra e i mobili d'epoca. Alle pendici dell'Himalaya The Oberoi Cecil conserva il fascino del periodo coloniale con l'aggiunta dei confort contemporanei.

Il menù della Oberoi Spa prevede una nutrita serie di trattamenti aromaterapici e ayurvedici, oltre a massaggi balinese, tailandese e hawaiano. Sono disponibili anche saune e bagni turchi e una palestra.

www.thececil.com

Bhutan

environment	design	service	cuisine
80	80	80	75
health	spa	rooms	rating
75	88	80	**80**

Asia

Amankora (Paro)

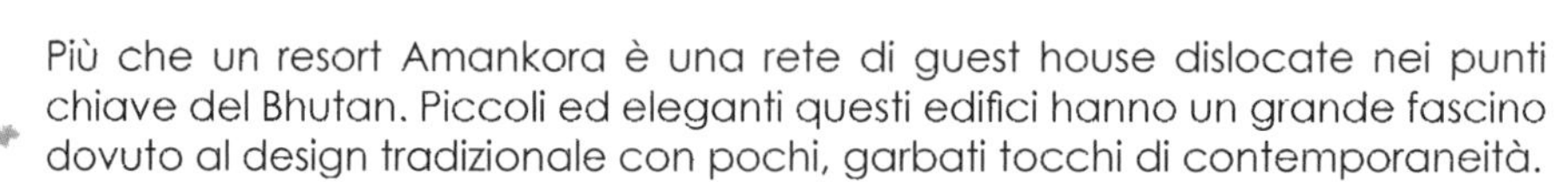

Più che un resort Amankora è una rete di guest house dislocate nei punti chiave del Bhutan. Piccoli ed eleganti questi edifici hanno un grande fascino dovuto al design tradizionale con pochi, garbati tocchi di contemporaneità.

Amankora Paro dispone di una spa su due piani dall'attento design. Bella la vasca in pietra in esterni.

www.amanresorts.com

environment	design	service	cuisine
81	85	70	75
health	**spa**	**rooms**	**rating**
75	75	88	**78**

Cina

Asia

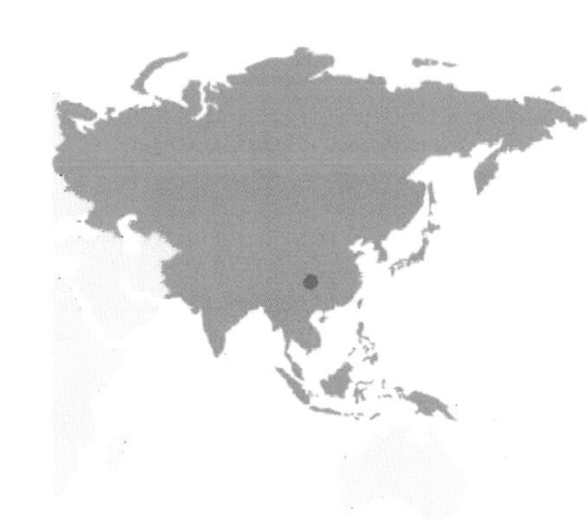

Banyan Tree Lijiang (Yunnan)

Dal 1997 Lijiang fa parte del World Heritage dell'Unesco. Il resorts, che sorge nei pressi della cittadina, riflette nei suoi spazi le architetture del centro storico adattandole alle esigenze di luoghi ricettivi come sono le sue ville. Gli interni si ispirano a uno stile più contemporaneo. Le ville dispongono di giardino o anche piscina privati.

La Banyan Tree Spa offre trattamenti che spaziano tra quelli tradizionali d'Oriente alle terapie rigeneranti occidentali.

www.banyantree.com

Cina

environment	design	service	cuisine
70	70	60	70
health	spa	rooms	rating
78	80	84	**73**

Asia

Banyan Tree Ringha (Yunnan)

La regione montuosa dove sorge il resort è compresa nel Greater Tibet e si trova a 3200 metri s.l.m. Da qui la vista è spettacolare e spazia tra valli e catene montuose senza fine. Non a caso siamo sul "tetto del mondo". Lo stile del resort è tipicamente tibetano con legni intarsiati, camini e balconi in legno.

La Banyan Tree Spa Ringha risveglia i sensi con gli aromi degli oli essenziali e le mani esperte dei suoi terapisti. Nella pace e nella serenità di un eremo tibetano.

www.banyantree.com

environment	design	service	cuisine
53	87	89	90
health	spa	rooms	rating
77	93	90	**83**

Asia

Four Seasons Hotel Shanghai

La Cina, quella contemporanea, nella sua massima espressione. Questo è il Four Seasons Hotel di Shanghai. Giovane, elegante, ben progettato negli spazi comuni e nelle suites. Superba cucina cantonese servita allo Si Ji Xuan. E soprattutto un servizio eccelso che mette l'ospite al centro dell'attenzione. Dal transfer in BMW, al bell boy fino al butler.

Qin The Spa at Four Seasons Hotel Shanghai offre un servizio discreto e personalizzato. Luci soffuse, materiali naturali come pietra, legno, cotone grezzo e pelle. Un ambiente di rara raffinatezza. Nove sale per trattamenti con una selezione di oltre 30 trattamenti ispirati alla medicina tradizionale cinese. I prodotti utilizzati sono naturali e prodotti espressamente in Indonesia.

www.fourseasons.com/shanghai

environment	design	service	cuisine
78	95	100	90
health	**spa**	**rooms**	**rating**
90	74	96	**89**

Asia

The Peninsula Hong Kong

I primi idrovolanti della Pan Am atterravano nella baia di Hong Kong. I passeggeri non potevano che "scendere" al Peninsula, "il miglior albergo ad est di Suez".Quei voli denominati "clipper" rivivono oggi nella Sky Lounge dell'hotel. Qui si arriva con l'elicottero quando non si vuole salire sulle nuovissime Rolls-Royce Phantom che attendono all'aeroporto. C'è molto di unico a questo irrinunciabile hotel coloniale che ha saputo accrescere nel tempo il suo fascino mantenendo un servizio di assoluta eccellenza.

La Peninsula Spa by Espa unisce il meglio dei due brand. Oriente e Occidente si fondono in una esperienza sensoriale che vede i sensi appagati da infinite attenzioni.

www.peninsula.com

Top City Hotel & Top Service Hotel

THE P
PRADA
PRADA
THE PENINSULA
THE PENINSULA
THE PENINSULA
THE PENINSULA

TIFFANY&CO
THE PENINSULA

environment	design	service	cuisine
60	89	86	76
health	**spa**	**rooms**	**rating**
63	75	92	**77**

Asia

Crown Towers

Localizzato nella City of Dreams, questo nuovissimo hotel inaugurato nel giugno del 2009 rappresenta l'eccellenza di Macao. Le sue suite sono le più spaziose dell'ex colonia portoghese. Il raffinato design, la profusione di legni e la sapiente miscela di riferimenti stilistici occidentali e cinesi ne fanno una icona dell'architettura contemporanea asiatica. Eccelsa l'esperienza culinaria, dalla steakhouse Horizons governata dagli chef Samuel Lim e Samuel Wilkers, alla raffinata cucina cantonese del Lung Hin, sapiente creazione dello chef Tam Kwok Fung.

L'abbondanza di spazio e il design minimalista sono gli ingredienti che caratterizzano questa raffinata spa completa di sauna, bagno turco, hammam e percorso acquatico. Sicuramente una delle più lussuose di Macao.

www.cityofdreamsmacau.com

environment	design	service	cuisine
78	88	60	53
health	**spa**	**rooms**	**rating**
58	82	64	**69**

Asia

Amantaka (Luang Prabang)

Il recente restauro ha esaltato le forme coloniali dell'edificio che sorge nel centro cittadino ma che allo stesso tempo se ne distacca, circondato dall'ampio giardino attentamente curato. Alla sera le torce illuminano i sentieri che portano al ristorante dove si cena in terrazza osservando il brulicare della vita cittadina senza veramente esserne disturbati. Grande fascino quindi del luogo arricchito dal servizio e dalle attenzioni tipiche dei resort Aman.

La spa ha grandi suite per i trattamenti mentre la palestra è di dimensioni generose e ottimamente attrezzata con macchine Technogym.

www.amanresorts.com

environment 87	design 88	service 90	cuisine 85
health 85	spa 90	rooms 80	rating **86**

Asia

Four Seasons Resort Chiang Mai

È una vera risaia quella che attornia il resort. Le suite sono ricavate in padiglioni in stile Lanna su palafitte e numerose sono le terrazze che sporgono verso la natura. Tanto uso di pietra e legno e architettura tradizionale. Ai bordi della risaia sorgono le ville e la spa.

La spa è in un edificio a se stante e comprende sette suite per trattamenti individuali o in coppia. Il menù prevede l'uso di erbe locali, spezie, oli aromatici e altri ingredienti organici per un ventaglio di trattamenti ispirati alla tradizione thailandese. E' disponibile anche una Yoga Barn, costruita a ridosso della risaia.

www.fourseasons.com/chiangmai

Thailandia

environment	design	service	cuisine
88	85	80	80
health	**spa**	**rooms**	**rating**
80	85	85	**83**

Asia

The Chedi Chiang Mai

Sorge sulle rive del Mae Ping River, nel cuore della città. Tutte le 84 stanze e suite dispongono di cortile e balconi privati. Il design è contemporaneo tendente al minimalista, accurato e gradevole. Buona l'illuminazione e ottima la vista.

Oltre alla palestra e alla sala yoga The Spa at The Chedi dispone di dieci stanze e suite per trattamenti (alcune con una propria sauna). Il menù è completo e l'ambientazione d'effetto. Grande professionalità del personale.

www.ghmhotels.com

environment	design	service	cuisine
85	89	81	77
health	**spa**	**rooms**	**rating**
64	97	90	**83**

The Peninsula Bangkok

Chi non sceglie l'elicottero dall'aeroporto può arrivare in Rolls-Roys, sempre in "Peninsula Style". Questa moderna torre in forma di W garantisce la vista sul Chao Phraya River da tutte le stanze. Particolare non trascurabile dato il brulicare di vita che movimenta il corso d'acqua. È uno stile classico-moderno quello delle suite, alcune delle quali riflettono maggiormente la tradizione Thai. I ristoranti sono anch'essi rivolti al fiume e spaziano dalla cucina locale a quella internazionale e Cantonese.

The Peninsula Spa by Espa offre ambienti di rara eleganza attentamente progettati. Ogni dettaglio è curato, a partire dalla cerimonia del tè. Esperti terapisti accompagnano gli ospiti in un viaggio, sia si tratti di un semplice massaggio che di un ritual di un giorno intero.

www.peninsula.com

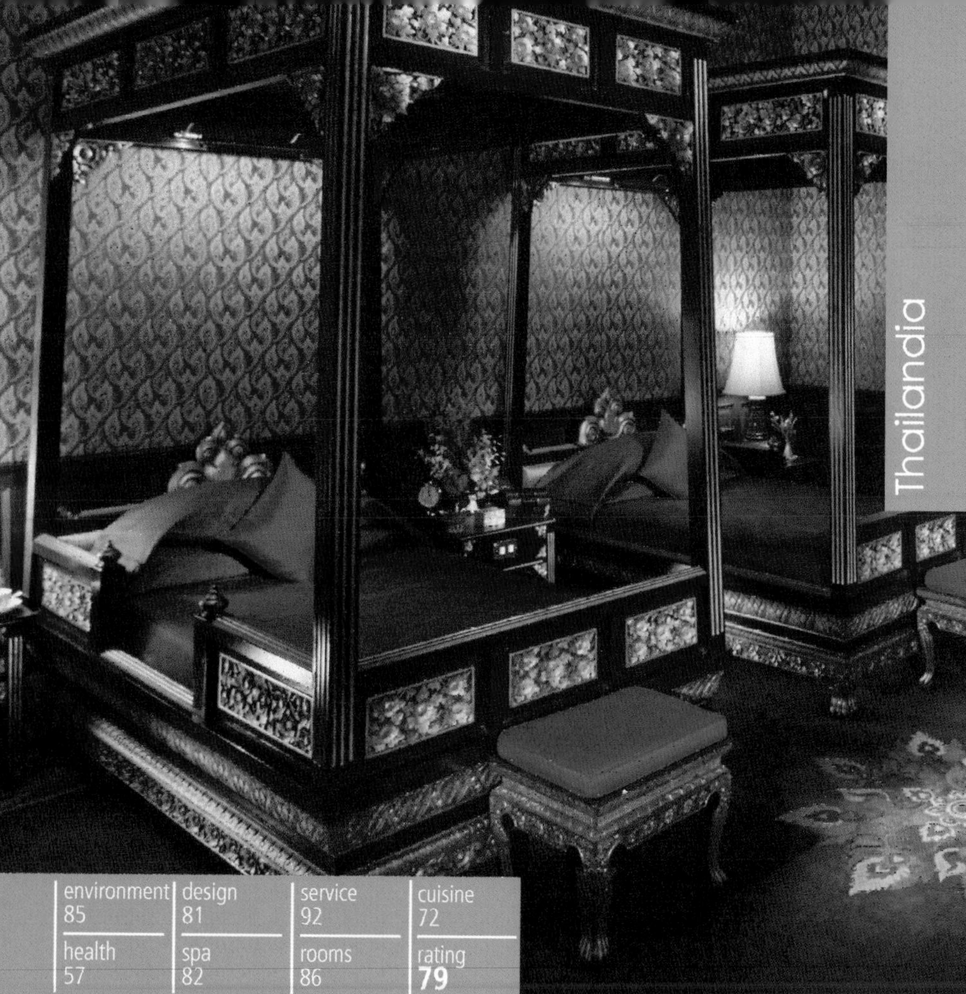

environment	design	service	cuisine
85	81	92	72
health	spa	rooms	rating
57	82	86	**79**

Thailandia

Asia

Mandarin Oriental Bangkok

Tra i miti dell'ospitalità indocinese The Oriental ha un posto di sicuro spicco. E' stato tra i primi hotel coloniali a essere costruito. Nel 1884 H.N. Anderson, l'armatore danese che poi fondò la East Asiatic Company, decise che era tempo per Bangkok di avere un hotel per i visitatori stranieri. Oggi l'originale edificio è ancora al suo posto, sulla riva del Chao Phraya River e chiamato Author's Wing.

The Oriental Spa è stata la prima spa ad essere realizzata per un city hotel. Tutta in legno mantiene l'atmosfera della tradizione. Recentemente è stata aggiunta una Ayurveda Suite dove un medico indiano consiglia gli ospiti sul trattamento che meglio si addice loro. Gli spazi sono abbondanti e il personale discreto e preparato.

www.mandarinoriental.com/bangkok

environment	design	service	cuisine
75	80	80	85
health	**spa**	**rooms**	**rating**
80	88	96	**83**

Asia

Banyan Tree Phuket

E' un'oasi di tranquillità posta tra l'Andaman Sea e la laguna retrostante. Le ville hanno una loro piscina e spesso un giardino privato la cui privacy è protetta da mura. Lo stile è quello tradizionale thailandese con i tetti spioventi e arcuati con motivi contemporanei e soprattutto tutte le tecnologie che il viaggiatore esigente si aspetta.

La Banyan Tree Spa Phuket ha avuto numerosi riconoscimenti dalla stampa internazionale. Dispone di ampi e curati spazi e di personale altamente specializzato.

www.banyantree.com

environment	design	service	cuisine
80	78	83	75
health	**spa**	**rooms**	**rating**
85	90	77	**81**

Asia

Amanpuri (Phuket)

L'edificio principale e le ville si dispongono sul pendio di una collina ricoperta di palme e rivolta all'Andaman Sea. L'architettura è tipicamente thailandese con i caratteristici tetti spioventi e arcuati. Si compone di 40 padiglioni e 30 Thai villas.

Questa è l'unica Aman Spa. Aperta nel 2001 offre un menu completo di trattamenti inclusi quelli olistici. Dispone anche di sale per meditazione e yoga e di una palestra.

www.amanresorts.com

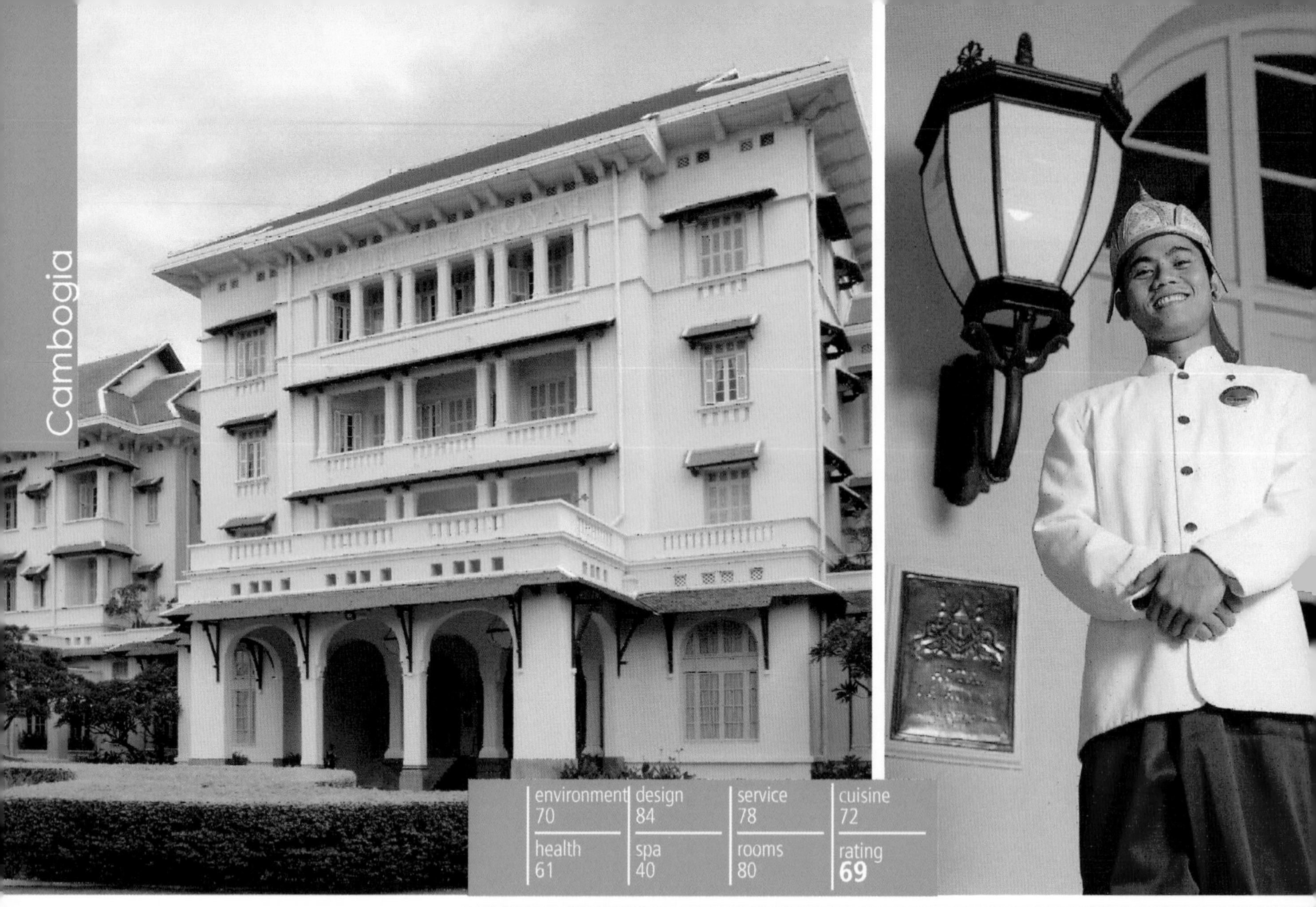

environment	design	service	cuisine
70	84	78	72
health	**spa**	**rooms**	**rating**
61	40	80	**69**

Asia

Raffles Hotel Le Royal (Phnom Penh)

Inaugurato nel 1929 Le Royal è stato da allora il punto di incontro di tutti coloro che hanno visitato la Cambogia e l'Indocina. Dopo un lungo periodo di oblio seguito alla partenza dei francesi e ai periodi di guerra civile nel 1997 l'hotel è stato riportato ai trascorsi fasti dalla Raffles. L'atmosfera e il décor sono rimasti e valorizzati, una nuova ala è stata aggiunta sul retro. Il ristorante serve cucina francese e khmer in una atmosfera rarefatta. Le portate sono accompagnate dalle note di un pianista in smoking e il servizio è impeccabile.

L'Amrita Spa offre un essenziale menu di trattamenti.

www.raffles.com

environment	design	service	cuisine
83	95	98	73
health	**spa**	**rooms**	**rating**
51	87	79	**81**

Asia

Amansara (Siem Reap)

Traspare tutta la storia recente della Cambogia da questo complesso sorto nel 1962 come guest house del nuovo stato cambogiano da poco indipendente. Si chiamava Villa Princière e a volerla fu il principe Norodom Sihanouk che qui ospitò tra gli altri Jacqueline Kennedy e i presidenti Tito e Charles de Gaulle. Linee rette, soffitti alti, pareti in vetro sono uniti da cemento finito a intonaco e pietra a vista. Le suite sono minimaliste, luminose, eteree con ampie superfici in legno. Le dimensioni sono generose e la cucina ottima, soprattutto quella khmer. Amansara è un resort che nasce come base per la visita ai templi di Angkor.

L'elegante e minimalista Spa offre un contenuto menu di trattamenti in un ambiente di grande fasino e suggestione in perfetta sintonia con il resto del resort.

www.amanresorts.com

environment	design	service	cuisine
84	92	72	77
health	**spa**	**rooms**	**rating**
66	84	80	**79**

Asia

The Nam Hai (Hoi An)

Affacciato sul South China Sea a pochi chilometri dalla storica cittadina di Hoi An, patrimonio dell'umanità protetto dall'UNESCO, The Nam Hai al momento è il più lussuoso ed esclusivo resort vietnamita. Le 60 ville e le 40 pool villa sono immerse in un lussureggiante giardino tropicale. L'architettura è in stile contemporaneo, ma non minimalista. Il servizio è semplice ma sincero e proprio questa disponibilità fa perdonare le tante ingenuità di un team eccezionalmente giovane e per questo a volte anche inesperto. Il soggiorno nel suo insieme è assolutamente positivo.

La spa si affaccia su una laguna e comprende la reception e una serie di padiglioni per i trattamenti disposti su palafitte. Grande pace e atmosfera. Paraventi orientabili proteggono la privacy del relax.

www.thenamhai.com

environment	design	service	cuisine
80	50	65	70
health	spa	rooms	rating
70	70	70	**70**

Vietnam

Asia

Six Senses Ninh Van Bay (Khanh Hoa)

Se la filosofia del brand Six Senses è l'integrazione tra resort e vita locale quella del marchio Hideaways è l'isolamento, sia pure realizzato con materiali e tecniche costruttive tradizionali del luogo. Un lusso misurato. Chi si vuole isolare completamente potrà scegliere il Six Senses Hideaways Ninh Van Bay. Costruito a ridosso delle rocce che scendono a picco sul mare nella baia omonima dispone anche di piccole spiaggette per gli irriducibili della sabbia. Offre sistemazioni in ville con o senza piscina, ognuna diversa e tutte arroccate sulle rocce con un ottima vista.

Accanto sorge la Six Senses Spa, anch'essa con vista mare e immersa nel silenzio. Il legno è profuso nei semplici ambienti dove è la natura circostante a farsi notare.

www.sixsenses.com

environment	design	service	cuisine
83	82	79	87
health	**spa**	**rooms**	**rating**
80	70	85	**81**

Malesia

Asia

Mandarin Oriental Kuala Lumpur

Le Petronas Towers sono lì, proprio di fronte mentre alle spalle sorge il Kuala Lumpur City Centre Park, un polmone verde che offre tra l'altro un articolato circuito joggin. Il moderno edificio è arredato in stile contemporaneo arricchito di note orientali, soprattutto nelle rifiniture e nei materiali. E per finire la serata c'è la Sultan lounge. Luci, trasparenze, forme sinuose e soprattutto la Kuala Lumpur che conta.

Con la grande piscina immersa in un giardino tropicale e il fitness centre ottimamente attrezzato sia il turista che l'uomo d'affari trovano il meglio per il loro tempo libero. Lo chef Bastian Mantey che governa la cucina del ristorante Pacifica propone una cucina raffinata e leggera allo stesso tempo che ben affianca i trattamenti olistici proposti dalla spa in una ovattata atmosfera orientale.

www.mandarinoriental.com

Malesia

environment	design	service	cuisine
60	80	81	82
health	**spa**	**rooms**	**rating**
73	87	81	**78**

Asia

The Ritz-Carlton Kuala Lumpur

Ormai pochi hotel a Kuala Lumpur hanno le loro auto ad attendere gli ospiti. Il Ritz-Carlton è uno di questi. Lo chaffeur in livrea nera guida sereno nel traffico a tratti caotico della capitale malese. All'arrivo si viene scortati nella suite dove si completa il check-in. Vista panoramica sulla capitale. Butler a disposizione.

Lo Spa Village è al quarto piano del Ritz-Carlton, immerso tra piscine e un giardino di palme. L'ultimo trattamento aggiunto al menu si chiama Sensory Exploration.

www.ritz-carlton.com

environment	design	service	cuisine
98	99	98	95
health	spa	rooms	rating
90	100	100	**97**

Asia

Four Seasons Resort Langkawi

Sorge di fronte all'Andaman Sea, sulla spiaggia Tanjung Rhu, una delle più belle dell'isola. L'architettura è un misto di tradizione costruttiva e stilistica malese e stile contemporaneo. Ovunque abbondano legni, anche pregiati. Le coperture delle 91 ville e padiglioni sono in foglie intrecciate, numerose sono le verande e alcune ville dispongono di vasche e docce open air.

Si compone di sei padiglioni che paiono galleggiare sui bacini che li attorniano. L'atmosfera è di gran classe. Ancora legno, poi pietra e vetro. C'è anche un padiglione per praticare yoga e meditazione. Il menù è all'altezza della struttura.

www.fourseasons.com/langkawi

Top Spa Resort

environment	design	service	cuisine
80	78	84	68
health	**spa**	**rooms**	**rating**
65	79	88	**77**

Shangri-la's Rasa Sayang (Penang)

Situato in una gradevole posizione lungo il litorale di Penang, nella zona di Batu Feringgi Beach, lo Shangri-La's Rasa Sayang Resort and Spa, suddiviso in Garden Wing e Rasa Wing, esibisce lusso e buon gusto. Comfort, design moderno e funzionale, attenzione ai dettagli definiscono infatti le 304 camere e suite. Circondato da un lussureggiante giardino tropicale il resort offre comunque tutto quanto ci si può attendere da una struttura pensata per il riposo e le attività balneari.

L'esperienza proposta dalla Chi Spa agisce su tutti i sensi. Una sorgente di beatitudine che parte dall'atmosfera con la quale inizia questo percorso, svolto in ville private decorate in stile tibetano, per proseguire con i trattamenti che portano a distendersi completamente.

www.shangri-la.com

Malesia

environment	design	service	cuisine
100	100	98	85
health	**spa**	**rooms**	**rating**
100	87	95	**95**

Asia

The Estates at Pangkor Laut (Lumut)

Le Estates sono immerse in una lussureggiante giungla. Dove gli unici ospiti oltre a noi sono le scimmie. Grandi spazi, arredi di design mediato dalla tradizione locale. Tanto legno, pietra e canapa. Lo stile si potrebbe definire malese contemporaneo. Ognuna con la sua cucina e il proprio personale. Sulla spiaggia o sul versante della collina offrono un'esperienza di soggiorno unica.

Quando la solitudine si fa sentire gli ospiti delle Estates possono farsi portare dal maggiordomo al resort e magari alla Spa Village. Un ritual ayurvedico o uno ispirato alla medicina cinese di tre ore rimetterà' in forma.

www.ytlhotels.com

environment	design	service	cuisine
90	100	98	95
health	spa	rooms	rating
74	75	77	**87**

Asia

Raffles Hotel Singapore

Assieme al Peninsula di Hong Kong e allo Strand di Yangon è uno di quegli alberghi coloniali che hanno fatto la storia dell'ospitalità dell'Estremo Oriente. Monumento nazionale dal 1987 il Raffles ancora adesso rappresenta un must per gli appassionati delle atmosfere coloniali che, allo stesso tempo, non vogliono rinunciare a nulla. Il recente restauro ne ha sapientemente valorizzato il fascino e l'eleganza facendone uno migliori hotel coloniali ancora esistenti.

La RafflesAmrita Spa è riservata agli ospiti dell'albergo e offre una nutrita serie di trattamenti in un ambiente sofisticato. Dispone anche di una palestra.

www.raffles.com

Top Colonial Hotel

Indonesia

environment	design	service	cuisine
100	100	85	85
health	spa	rooms	rating
80	70	100	**89**

Asia

Amanjiwo (Central Java)

Ubicato nel centro dell'isola di Java il resort si caratterizza per la raffinata architettura in pietra perfettamente in armonia con le forme del vicino complesso templare di Borobudur, il più grande santuario buddista esistente. Lo scenario naturale che gli fa da cornice include la sagoma di quattro, maestosi, vulcani.

Dispone di una suite per trattamenti e massaggi con una unica sala. E' in progetto una nuova spa.

www.amanresorts.com

Indonesia

environment	design	service	cuisine
70	85	85	80
health	**spa**	**rooms**	**rating**
78	83	89	**81**

Asia

The Dharmawangsa (Jakarta)

Sorge in un elegante quartiere residenziale non lontano dal centro di Jakarta. Realizzato tra le due guerre mondiali, il suo stile è in mix di Art Déco e citazioni locali. Ottimo il servizio, le suite sono spaziose, ma sono soprattutto gli spazi comuni che colpiscono per il gradevole décor.

La spa è di dimensioni contenute ma raffinata nell'arredo, propone un articolato menù di trattamenti tradizionali orientali.

www.the-dharmawangsa.com

Indonesia

environment	design	service	cuisine
96	95	100	90
health	spa	rooms	rating
90	90	87	**93**

Asia

Four Seasons Resort at Jimbaran Bay

E' il primo dei Four Seasons di Bali. Organizzato su un pendio della baia di Jimbaran si presenta come un villaggio locale. La pietra, il legno, le coperture, tutto ricorda la tradizione costruttiva balinese. Design accurato quindi, ancor più nelle fantastiche estate disponibili a lato del resort, e servizio impeccabile.

La grande spa, completa di palestra, sauna e bagno turco, è in un complesso a parte sempre all'interno del resort. Una visita è un evento che coinvolge tutti i sensi, partendo dagli aromi profusi nell'aria, alle tisane servite al bar interno per proseguire con i trattamenti. Tutto in un ambiente elegante e curato. Da non perdere.

www.fourseasons.com/jimbaran

Indonesia

environment	design	service	cuisine
93	90	85	87
health	spa	rooms	rating
69	84	94	**86**

Asia

Bulgari Resort, Bali

Inaugurato a dicembre 2006, è la seconda struttura targata Bulgari. Il design è molto pulito e contemporaneo, gli spazi sono abbondanti e la vista buona dato che il resort sorge isolato su un altipiano. Ben fornita la boutique di accessori della linea di moda firmata dai noti gioiellieri e da segnalare anche il servizio, attento e discreto.

Il padiglione d'ingresso alla spa lascia stupefatti per la bellezza delle pareti in teak intagliato e qui trasportato dalla città di Kudus, nell'isola di Java. Sei le sale per i trattamenti più due royal pavillion con giardino e piscina privati. Il menù comprende una varietà di trattamenti che spaziano dalla tradizione balinese e orientale a quella occidentale.

www.bulgarihotels.com

Indonesia

environment	design	service	cuisine
90	94	90	85
health	**spa**	**rooms**	**rating**
86	70	90	**86**

Asia

Amanusa (Bali)

Un campo da golf separa il resort, alto su una collina con una vista spettacolare, da una delle migliori spiagge balinesi. Gli ospiti possono così godere della vista e della brezza serale, isolati nell'interno e allo stesso tempo, con un percorso di cinque minuti, rilassarsi nella spiaggia deserta e riservata agli ospiti.

Per chi desidera provare i trattamenti e massaggi può scegliere la spa suite o la privacy della propria villa, magari con piscina.

www.amanresorts.com

environment	design	service	cuisine
93	98	98	85
health	**spa**	**rooms**	**rating**
80	78	90	**89**

Indonesia

Asia

Four Seasons Resort Bali at Sayan

Ubicato nel centro dell'isola, in cima a una collina da dove si domina la valle dell'Ayung River, le sue 42 ville sono sparse tra i campi di riso e scompaiono per il gioco dei dislivelli. Il design contemporaneo non trascura citazioni indigene dando vita a una composizione di rara bellezza. Servizio impeccabile e cucina tradizionale e di ricerca completano l'esperienza.

La spa dispone di uno spazio nel complesso centrale, con palestra, sauna e bagno turco, e di tre Spa Villa per singoli e coppie immerse nei campi di riso, con piscina e giardino privati.

www.fourseasons.com/sayan

Top Countryside Resort

environment	design	service	cuisine
89	80	65	70
health	spa	rooms	rating
92	90	80	**81**

Asia

Como Shambhala Estate, Bali

In origine conosciuto come Begawan Giri il resort è ora parte del Como Group che, dopo l'acquisto, ha aggiunto nuove ville, un nuovo ristorante e una grande spa. Così oltre allo stile balinese che caratterizza le prime ville ora vi sono aggiunte in uno stile contemporaneo e minimalista. La Como Shambhala Cuisine, buona e salutare allo stesso tempo, è a base di ingredienti organici, spesso utilizzati crudi.

Oltre alla spa vera e propria, grande e ben attrezzata, vi è una sala per le lezioni di yoga e una suite per i trattamenti nascosta nella vegetazione a metà pendio lungo la discesa all'Ayung River. Qui, dove solo gli animali arrivano, si può veramente sentire il suono della foresta. Oltre ai terapisti vi è un medico ayurvedico residente nel resort per studiare un piano di trattamenti personalizzato.

www.como.bz

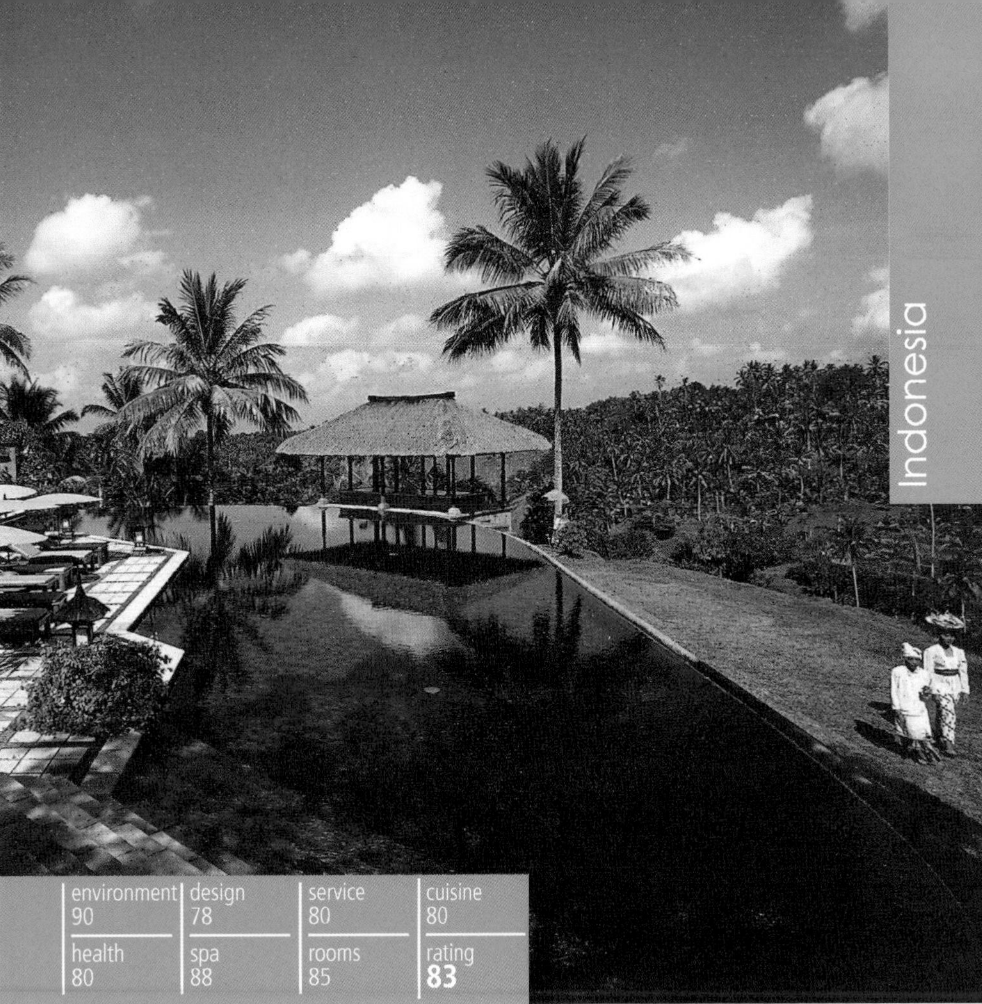

environment	design	service	cuisine
90	78	80	80
health	**spa**	**rooms**	**rating**
80	88	85	**83**

Indonesia

Asia

Amandari (Bali)

Amandari è stato il primo resort della Aman a essere costruito a Bali. Si trova nel centro dell'isola, a due passi da Ubud, immerso nei campi di riso e adiacente a un villaggio con il quale si fonde interagendo. L'impressione è proprio quella di vivere in un villaggio indigeno. Ottimo il servizio, come in tutti i resort della Aman, e grandi le ville che garantiscono tanta privacy.

Da ricordare la spa, che si affaccia su uno specchio d'acqua. Preparato e discreto il personale.

www.amanresorts.com

Indonesia

environment	design	service	cuisine
80	80	80	78
health	**spa**	**rooms**	**rating**
75	77	80	**79**

Asia

Amankila (Bali)

Il resort sorge su una collina e si affaccia sullo stretto di Lombok. Le ville sono collegate da una serie di scalinate che permettono di superare i dislivelli. L'elevazione sul mare garantisce una ottima vista da molte abitazioni. Alcune dispongono di piscina privata e tutte sono generose nelle dimensioni. La spiaggia è di sabbia nera lavica. Due le piscine: una a livello del mare e una di fronte al ristorante con vista sullo stretto.

Oltre al padiglione dedicato ai trattamenti di bellezza e massaggi si possono richiedere trattamenti nella privacy della propria villa o suite.

www.amanresorts.com

Indonesia

environment	design	service	cuisine
90	84	88	75
health	**spa**	**rooms**	**rating**
80	70	80	**81**

Asia

Amanwana (Moyo Island)

E' sull'isola di Moyo che sorge questo lussuoso campo tendato, ideale per chi vuole vivere un'esperienza immerso nella natura e allo stesso tempo senza scendere ad alcun compromesso in tema di comodità e servizio. Venti tende di 58 mq con letti king size e con, a scelta, vista jungla o oceano.

La Jungle Cove Spa sorge sulla spiaggia all'ombra di grandi alberi di tamarindo. Solo pareti di pietra corallina separano le tre aree open air per i trattamenti. Il menù è contenuto ma interessante, soprattutto per l'uso di prodotti locali e tradizionali.

www.amanresorts.com

environment	design	service	cuisine
80	80	80	80
health	spa	rooms	rating
85	80	85	**81**

The Empire Hotel & Country Club

Rappresenta sicuramente la struttura più esclusiva del Brunei. E' un grande resort sul mare caratterizzato da uno stile eclettico di vaga ispirazione impero e con note islamiche. Opulente le suite e varie le piscine, ve ne sono ben otto. Molto apprezzato il golf e le altre attività sportive quali tennis, squash, bowling, badminton e palestra.

Alla spa sono disponibili massaggi balinesi e taksu, trattamenti di riflessologia e aromaterapia. La spa è aperta anche agli esterni.

www.theempirehotel.com

environment	design	service	cuisine
90	75	85	78
health	spa	rooms	rating
80	75	78	**80**

Asia

Amanpulo (Pamalica Island)

Ubicato su un'isola privata circondata da una spiaggia idilliaca il resort dispone di 40 casita nascoste nella vegetazione tropicale e realizzate nello stile dei villaggi rurali filippini.

Una casita è riservata alla spa che offre una contenuta lista di massaggi e trattamenti. Dietro il campo da tennis e circondata dalla vegetazione è una piccola palestra.

www.amanresorts.com

Vietnam · Thailand · Cambodia · Laos · Indonesia

Authentic and friendly is how most travelers to Myanmar, formerly known as Burma, describe this country. Until recently, it was one of the least accessible countries in the world and this fact has meant that Myanmar has been relatively untainted by the excesses of modern life. Retaining an aura of a bygone era, luxurious colonial hotels, elegant river cruises, and hospitable locals create a stylish voyage for the discerning traveler.
Exotissimo Travel are the experts in creating tailored itineraries, each designed with flair, knowledge and always with a personal touch. For an exclusive and intimate experience of this country that time forgot, contact myanmar@exotissimo.com.

Oceania

Bora Bora Lagoon Resort

Wharekauhau, New Zealand

environment	design	service	cuisine
74	70	60	68
health	**spa**	**rooms**	**rating**
70	70	70	**69**

Oceania

Palazzo Versace (Gold Coast)

Grande resort sulla costa più turistica dell'Australia. Lo si riconosce per l'arredo in gran parte firmato dalla casa di moda. Non manca una boutique Versace.

La Salus Per Aquum Spa, ovvero "salute attraverso l'acqua" si ispira alle terme romane, specie nella piscina coperta rivestita di mosaici evocanti l'antica Roma. Il menù prevede massaggi, hyroterapie e trattamenti di bellezza oltre a lezioni di thai chi e yoga.

www.palazzoversace.com

environment	design	service	cuisine
80	70	70	70
health	**spa**	**rooms**	**rating**
80	75	72	**74**

Wharekauhau Country Estate (Wellington)

Si guida per ore (se non si vuole prendere l'elicottero) tra greggi di pecore e verdissime campagne prima di raggiungere questa isolata "fattoria". Elegante e raffinato questo resort di campagna offre un'esperienza a contatto con la natura estremamente piacevole arricchita dalla buona cucina e un attento servizio.

Alla spa il menù dei trattamenti è contenuto e prevede alcuni massaggi, scrub e wrap. Offre anche un menù studiato appositamente per gli ospiti maschili.

www.wharekauhau.co.nz

Nominations

Cameron Highlands, Malaysia

Trou aux Biches, Mauritius

Aman New Delhi
New Delhi, India

www.amanresorts.com

Cameroon Highlands
Panang, Malaysia

www.ytlhotels.com

Cheval Blanc
Courchevel 1850, France

www.chevalblanc.com

Four Seasons Geneva
Geneva, Switzerland

www.fourseasons.com/geneva

Four Seasons Doha
Doha, Qatar

www.fourseasons.com/doha

Four Seasons Resort
Bora Bora, French Polynesia

www.fourseasons.com/borabora

Grand Hotel les Trois Rois
Basel, Switzerland

www.lestroisrois.com

Grand Resort Bad Ragaz
Bad Ragaz, Switzerland

www.badragaz.ch

Gstaad Palace
Gstaad, Switzerland

www.palace.ch

Il Salviatino
Firenze, Italy

www.salviatino.com

Kempinski Ciragan Palace
Istanbul, Turkey

www.kempinski.com

Mandarin Oriental Munich
Munich, Germany

www.mandarinoriental.com/munich

Sharq Village
Doha, Qatar

www.ritzcarlton.com

The Residence Mauritius
Mauritius

www.theresidence.com

The Strand
Yangon, Myanmar

www.ghmhotels.com

Trou aux Biches
Mauritius

www.trouauxbiches-resort.com

Zermatterhof
Zermatt, Switzerland

www.zermatterhof.ch

Soneva Fushi by Six Senses
Maldives

www.sixsenses.com

Top 100

1 One&Only Maldives at Reethi Rah
2 Four Seasons Resort Maldives at Landaa Giraavaru
3 Four Seasons Resort Langkawi
4 The Estates at Pangkor Laut Resort
5 Burj Al Arab
6 Taj Umaid Bhawan Palace
7 Four Seasons Resort Bali at Jimbaran Bay
8 Shangri-la's Villingili Resort and Spa, Maldives
9 Emirates Palace
10 The Peninsula Hong Kong
11 Hotel de Paris
12 Four Seasons Resort Bali at Sayan
13 Al Maha, a Luxury Collection Desert Resort & Spa
14 Amanjiwo
15 Four Seasons Resort Maldives at Kuda Huraa
16 Frégate private Island
17 Taj Exotica Resort & Spa, Maldives
18 Ananda in the Himalayas
19 Raffles Hotel Singapore
20 Armani Hotel Dubai
21 Al Areen Palace & Spa
22 Amanusa
23 Four Seasons Resort Chiang Mai
24 Bulgari Resort, Bali
25 Badrutt's Palace
26 Taj Lake Palace
27 The Oberoi Rajvilas
28 Amanbagh
29 Sabi Sabi Earth Lodge
30 La Mamounia
31 Parrot Cay
32 Four Seasons Hotel Firenze
33 Banyan Tree Phuket
34 Mandarin Oriental Hyde Park
35 Villa Kennedy
36 The Chedi Chiang Mai
37 The Peninsula Bangkok
38 Amandari
39 Bulgari Hotel, Milano
40 The Chedi Muscat
41 Four Seasons Hotel Shanghai
42 The Fortresse Galle
43 Banyan Tree Seychelles
44 Beau-Rivage Palace
45 Palazzo Sasso
46 The Oberoi Udaivilas
47 The Oberoi Cecil
48 Park Hyatt Milano
49 The Dharmawangsa
50 The Empire Hotel & Country Lodge
51 Amanpuri
52 Le Prince Maurice
53 Singita Sweni Lodge
54 Amansara
55 Amanwana
56 Como Shambhala Estate, Bali
57 Mandarin Oriental Kuala Lumpur
58 Shanti Maurice
59 One&Only Royal Mirage
60 Anassa
61 Brenner's Park-Hotel & Spa
62 Conrad Maldives Rangali Island
63 Reid's Palace
64 Amanpulo
65 Grande Roche
66 One&Only Ocean Club
67 Aman-i-Khas
68 Amankora
69 Suvretta House
70 Amanwella
71 Grand Hotel du Cap Ferrat
72 Four Seasons Resort Nevis
73 Mandarin Oriental Bangkok
74 Singita Lebombo Lodge
75 The Nam Hai
76 Sandy Lane
77 Blancaneaux
78 The Taj Mahal Palace
79 Shangri-la's Barr Al Jissah Resort & Spa
80 Amankila
81 Banyan Tree Lijiang
82 Blue Palace Resort & Spa
83 Beverly Wilshire in Beverly Hills
84 Amanyara
85 The Residence Tunis
86 The Ritz-Carlton Kuala Lumpur
87 Shangri-la's Rasa Sayang Resort & Spa
88 Crown Towers
89 Copacabana Palace
90 Le Touessrok

Criteri di valutazione

91 Wharekauhau Country Estate
92 Banyan Tree Ringha
93 Villa San Michele
94 Shangri-la Hotel, Qaryat Al Beri, Abu Dhabi
95 Six Senses Hideaway Ninh Van Bay
96 Raffles Hotel Le Royal
97 Amantaka
98 Palazzo Versace
99 K Club
100 InterContinental Carlton Cannes

The score in hundredths which appears on each file published expresses the evaluation of the resort in its entirety. It originates from the mathematical average of the scores reached in the following aspects considered by our journalists/inspectors during their visit to the hospitality property.

Nature: pleasantness and uniqueness of surrounding greenery, attention to environmental setting of the hospitality property
Design of the hospitality property: quality of the design in terms of accessibility and visual impact, particular architectural features of the complex, the choice and disposition of the furnishings, attention to illumination of private and common areas
Service: professionalism, courtesy and discretion of the staff
Cuisine: quality, originality and variety of the dishes on the menu and the wine list
Health: attention for the general health of resort guests, hence menus that include hypo-caloric dishes, the presence of a spa, a fitness centre and/or jogging circuit, tennis courts, location in area without atmospheric and acoustic pollution.
Spa: quality of the spaces, staff professionalism, variety of treatments, consultancy, ambient (a score of 0 indicates absence of a spa)
Rooms: space, silence, view, furnishings, trimmings and service available in rooms

Alila Villas Hadahaa, Maldives

Note di viaggio

Ovidio Guaita e i suoi inviati hanno volato nel Vicino e Lontano Oriente con Emirates.

Tra le compagnie aeree utilizzate si segnalano

Cathay Pacific
Singapore Airlines
Qatar Airways
Etihad Airways
Cyprus Airways
Saudi Arab Airlines
Jet Airways
Royal Air Maroc

I seguenti tour operator hanno fornito assistenza in loco

Exotissimo Birmania
Exotissimo Laos
Adventure Indonesia

OCEANUS TARTARICUS
IAPAN
Philippinæ
Aequinoctialis
Aequator
AFRI
De Iava minori
MAGALLANICA
TERRA AUSTRALIS
Circulus Antarcticus

Crediti

Foto di Ovidio Guaita, Giampiero Briozzo, Roberto Patti, Frégate Island Private, Banyan Tree Resorts, Singita Game Reserves, Four Seasons Hotels and Resorts, Kor Hotel Group, Aman Resorts, The Ritz-Carlton, Orient-Express, YTL Hotels, Six Senses Resorts & Spa, Raffles Hotels, The Peninsula Hotels, Fairmont Hotels, FCC Presents, One&Only Resorts, Como Hotels and Resorts, Mandarin Oriental Hotels, Hyatt Hotels, Plan Hotels Resorts & Hotels, Thanos Hotels, Oberoi Hotels & Resorts, CCAfrica, Sanctuary, Singita, Kempinski Hotels, Jumeirah International, Emirates Hotels & Resorts, Shangri-la Hotels and Resorts, GHM, Conrad Hotels & Resorts, Per Aquum Resorts, Taj Hotels Resorts and Palaces, Ananda Hotels, Constance Hotels, Bulgari Hotels & Resorts, Sun Resorts, &Beyond, Townhouse Galleria e altri hotel e resort pubblicati.

Printed in Great Britain
by Amazon